과학 쫌 아는 십대 04

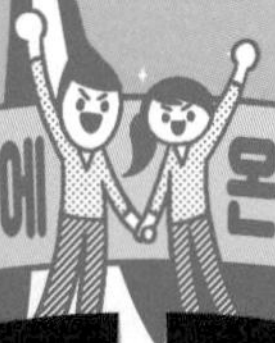

우주론 카페 빅뱅에 온 걸 환영합니다

빅뱅 쫌 아는 10대

이지유 글·그림

풀빛

우주론 파티에 온 걸 환영해

우리 카페에 대해 좀 알고 있니?

카페 이름이 빅뱅인 것은 다 알고 찾아왔을 테고, 실내 장식이 '우주배경복사'인 것도 알고 있지? 음료수는 '수소헬륨 무알콜 칵테일'을 기본으로 제공한다는 것쯤은 소문이 났을 테고, 이곳에 오려면 '신의 얼굴'이 인쇄된 옷을 입어야 한다는 것도 알고 있지? 카페에 입장하려면 드레스 코드를 지켜야 하거든. 호호.

좋아, 그럼 파티의 규칙을 알려 줄게.

여기선 말이야, 온도를 설명할 때 섭씨를 쓰지 않아. 섭씨 −273도를 0도로 두고 시작하는 온도 체계가 있는데, 쓸 때는 K라고 쓰고 읽을 때는 '절대온도 **도'라고 읽어. 좀 헷갈리지?

걱정 마, 곧 익숙해질 테니.

여기선 말이야, '수소'라고 하면 문맥에 따라 수소 핵이 될 수도 있고 수소 원자가 될 수도 있어. 원자핵에 전자가 결합해야 완벽한 원자가 되는 거라, 엄밀히 따지면 수소 핵과 수소 원자를 구분해서 써야 하지만 수소라는 본질은 같아. 뭐? 아무려면 어떠냐고? 우아, 너 보기보다 쿨하구나!

여기선 말이야. '물질의 양'이라는 말이 나오면 그건 '질량'을 의미한다고 생각하면 돼. 질량의 뜻이 물질의 절대량을 그램이나 킬로그램 같은 도량형으로 나타낸 것이니 말이야.

이제, 우리 프로그램을 알려 줄게. 우선 디제이가 우주의 초기 역사를 다룬 빅뱅 모형과 우주를 지배하는 네 가지 힘의 자아 찾기에 대한 감동적인 노래를 틀어 줄 거야. 가사가 아주 좋아. 뭐라고? 잘 안 들린다고? 물론 잘 들리지 않을 수도 있어.

파티장이 원래 좀 시끄럽잖아. 요즘 가장 잘나가는 댄서들이 급팽창 댄스를 출 거고, 아카펠라 그룹이 별의 일생에 대한 신기한 노래를 부를 거야.

참, 암흑물질과 암흑에너지를 전문으로 연주하는 인디밴드도 초대했어. 그런데 그 인디밴드 구성원의 얼굴을 아무도 모른다지 뭐야?

저쪽 테이블에는 미래를 맞히는 전문가도 데려왔어. 이름이 과학자래. 소문으론 아주 잘 맞힌다고 하니 한 번씩 들러 봐. 시간이 존재하지 않는 곳으로 데려다준다나 뭐라나. 아무튼 용하다고 하네.

이런, 설명이 너무 길었어. 미안, 미안.

우리 카페의 좌우명은 '물 흐르듯이 즐겁게'야. 뭐든지 물 흐르듯 하라는 뜻이지. 책을 읽을 때도 말이야. 그리고 뭘 하든

즐겁고 재미나게 해야 한다는 뜻이야. 우주 초기의 역사를 상상하는 빅뱅 모형을 이해하고, 138억 년에 걸친 우주의 역사를 훑어보고, 우주의 미래를 예측하는 우주론에 대해 알아볼 때도 말이야.

어머, 어머. 말이 너무 길었구나.

자, 그럼 음료를 주문할래?

양성자 주스 273g, 300K로 암흑물질 토핑 빼고 달라고?

우아, 정말 놀라운 적응력인데!

차례

우주론 파티에 온 걸 환영해 · 004

파티를 즐기기 위한 천문학 메뉴판 · 010
빅뱅부터 지금까지 우주는 어떻게 변했을까 · 012

· 어쩌다 Big Bang! · 016
· 어쩌다 플랑크 시대 · 022
· 어쩌다 대통일 이론의 시대 · 028
· 어쩌다 전기약력의 시대 · 034

· 드디어 입자 · 042
· 드디어 핵융합 · 048
· 드디어 핵자 · 054
· 드디어 원자 · 062

· 가늘고 기일─게 · 070
· 구욹─고 짧게 · 078
· 최후를 강렬히 · 084
· 모여서 살까? · 090

- 인테리어 벽지는 우주배경복사 • 096
- 드레스 코드는 신의 얼굴 • 103
- 음료는 수소헬륨 칵테일 • 109
- 급팽창 이벤트 추가 • 114

- 어둠의 세계 • 126
- 은하단의 암흑물질 • 133
- 중력렌즈는 누구인가? 140
- 암흑물질의 정체 • 144

- 은하 태생의 비밀 • 152
- 그냥 단순하게 생각하자 • 156
- 넷 중 하나를 찍어 • 160
- 시간의 끝에 서서 • 167

- 아무튼 빅뱅! • 174
- 아무튼 별! • 180
- 아무튼 생명체! • 187
- 아무튼 미래! • 192

참고문헌 • 198

파티를 즐기기 위한 천문학 메뉴판

● 뉴턴의 중력법칙
중력법칙은 만유인력의 법칙이라고도 불린다. 질량이 있는 두 물체 사이에는 서로 끌어당기는 인력이 작용하는데, 이를 중력이라고 한다. 두 물체의 질량이 클수록 힘의 세기도 커지는 비례관계이나 두 물체 사이의 거리가 멀어지면 힘의 세기가 거리를 제곱한 만큼 약해지는 반비례관계다.

● 뉴턴의 운동법칙
운동법칙 1: 물체에 어떤 알짜힘도 미치지 않는다면 그 물체는 일정한 속도로 운동한다.
운동법칙 2: 가속도를 가진 물체가 지니고 있는 힘은 물체의 질량에 가속도를 곱한 것과 같다. 그러니 질량이 클수록, 가속도가 클수록 힘은 커진다.
운동법칙 3: 어떤 힘이 있다면 반드시 크기가 같고 방향이 반대인 반작용힘이 있다.

● 중력
질량을 가진 두 물체 사이에 작용하는 힘. 우주에 있는 네 가지 힘(초힘) 가운데 유일하게 인력, 끌어당기는 힘만 있다. 네 가지 힘이란 중력, 강력, 전자기력, 약력을 말한다.

● 일반상대성이론
가속도, 중력, 시공의 기하학적 구조 사이의 관계를 아인슈타인이 재해석한 이론.

● 질량중심
물체나 천체의 질량 분포의 평균 위치. 구(球)체의 경우 밀도가 균일하지 않으면 질량중심은 구의 중심이 아니다.

● 원자의 구조
원소의 성질을 유지하는 최소의 입자를 원자라고 한다. 원자는 양성자와 중성자로 이루어진 핵과 그 둘레 어딘가에 위치한 전자로 이루어져 있다. 원자핵과 전자 사이는 비어 있다.

● 핵융합과 핵분열
핵융합: 두 개의 원자가 충돌해 무거운 원자 하나를 합성하는 과정.
핵분열: 무거운 원자핵 하나가 중성자와 충돌해 두 개의 가벼운 원자핵으로 쪼개지는 과정.

● 양자역학
원자의 구조, 원자들의 상호작용, 원자와 광자의 상호작용을 다루는 물리학의 한 분야.

● 플랑크 시간
플랑크 상수. 광자의 에너지와 주파수 사이의 비례관계를 완성시키는 비례상수.

● 은하와 은하단, 우리은하와 외부은하
은하: 거대한 별의 집단. 보통 수백만에서 수천억 개의 별이 모여 있다.
은하단: 수백 또는 수천 개의 은하들이 중력으로 묶여 있는 집단.
우리은하: 태양계가 속해 있는 은하.
외부은하: 우리은하가 아닌 다른 은하.

● 허블과 허블 우주망원경
허블: Edwin Powell Hubble(1889~1953). 미국의 천문학자. 우주가 팽창하고 있다는 사
　　　실을 관측으로 증명했다.
허블 우주망원경: 대기권 밖으로 쏘아 올린 망원경.

● 익스트림 딥 필드
2012년 나사에서 공개한 아주 먼 우주의 사진으로 대략 5500여 개의 은하를 찾아볼 수
있다. 그 가운데는 132억 년 전 생겨난 은하도 있다. 이는 우주가 생겨난 지 5억 년이 되
지 않아서 은하가 생겨났다는 말로, 우주 탄생 10억 년 무렵 최초의 은하가 생겨났을 것
이라는 기존의 이론을 흔들고 있다.

● 초신성과 블랙홀
초신성: 태양보다 30~40배 이상 질량이 더 나가는 별들이 진화의 최후에 맞이하는 폭
　　　발. 폭발하는 과정에 따라 I형과 II형으로 나뉜다.
블랙홀: 초고밀도에 의하여 생기는 중력장의 구멍. 항성이 진화의 최종 단계에서 한없이
　　　수축하여, 그 중심부의 밀도가 빛을 빨아들일 만큼 매우 높아지면서 생겨난다.

● 중력렌즈와 중력파
중력렌즈: 앞에 있는 천체가 뒤에 있는 천체에서 오는 빛을 굴절시켜 여러 개로 보이도록
　　　하는 경우, 앞에 있는 천체의 중력이 렌즈의 역할을 했다고 보고 이 천체를 중
　　　력렌즈라고 한다.
중력파: 초신성 폭발이나 중성자별끼리 충돌할 때 시공간이 뒤틀리거나 일그러진 상태가
　　　파도처럼 빛의 속도로 전달되어 퍼져 나가는 현상.

● 아원자 입자
원자를 구성하는 양성자, 중성자, 전자를 비롯해 쿼크, 랩톤 등 원자보다 작은 입자를 모
두 이르는 말.

빅뱅부터 지금까지 우주는 어떻게 변했을까

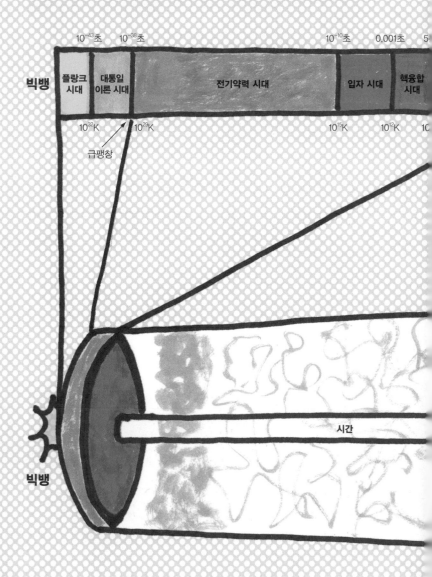

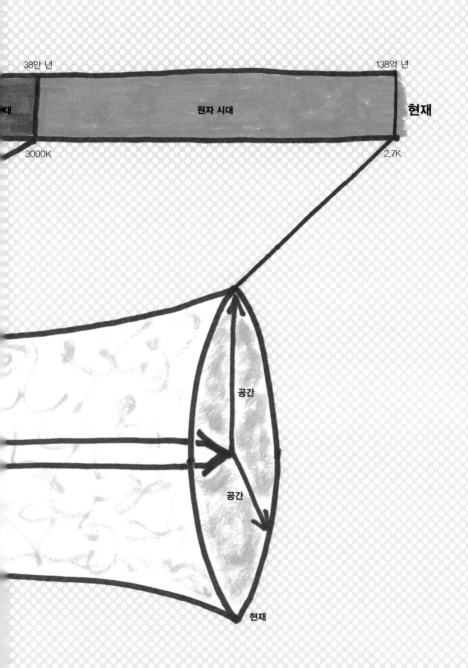

어쩌다 Big Bang!

우주를 구성하는 물질이 어디서 왔을까? 이 물음에 대해 답하려다 보면 노래가 생각나. 원숭이 엉덩이는 빠알개, 하면서 시작하는 노래 말이야. 꼬리에 꼬리를 물면서 이어지는 가사가 아주 재미나지. 왜 이 노래가 생각날까?

우주를 구성하는 물질의 기원에 대해 알려면 지금부터 역사를 죽 거슬러 올라가면서 찾아 나가야 하기 때문이야. 가다가 꼬리를 놓치면 길을 잃는 거야. 그러나 살다 보면 말이지, 꼬리를 놓칠 수도 있잖아? 그럼 꼬리 비슷한 것이라도 찾아서 잡아야 해. 형태나 속성이 비슷하면 그 근처에 내가 잃은 꼬리가 반드시 있으니 말이야.

자, 그럼 물질의 기원을 되짚어 나가 볼까.

우리 몸은 산소, 탄소, 질소, 인과 같은 다양한 원소들로 이루어져 있어. 이 물질은 인간이 생겨나기 전에도 있었고, 지구 상에 생명체가 생겨나기 전에도 있었고, 나아가 지구와 태양이 생겨나기 전에도 있었지. 지구와 태양은 태양보다 먼저 살다 죽은 별들의 잔해 속에서 만들어졌어. 그럼 앞선 세대의 별들은 무엇으로 만들어졌을까? 그런 질문을 해 가다 보면 결국 우리는 한 가지 문제에 다다를 수밖에 없어.

우주를 이루는 물질은 모두 어디에서 왔을까?

이 모든 것의 근원은 무엇일까?

이와 같은 물음에 답을 찾는 일을 하는 사람들은 많지만, 천문학자들의 이야기에 귀 기울여 볼까 해. 사실 천문학자들의 이야기 솜씨는 형편없어. 사탕발림 같은 것도 잘 못하고 없는 이야기를 지어내지도 못해. 그들은 우주를 관측한 사실과 그것을 설명해 줄 물리 이론을 잘 버무려 우주의 근본을 이해하고 설명하려 애쓰고는 있는데, 솔직히 말해서 쉽지도 않고 엄청나게 재미있지도 않아. 그래도 우리는 도량이 넓은 독자이기 때문에 인내심을 가지고 그 이야기를 들어 줄 수 있을지도 몰라.

천문학자들이 우주의 역사를 설명하기 위해 만든 과학 모형은 여러 가지가 있었지만 그 가운데 요즘 가장 인기를 얻고 있는 것이 '빅뱅 모형'이야. 일단 모형의 이름에 대해서는 점수를 좀 줄 만해. 빵 터지다니, 뭔가 개그감이 느껴지지 않아?

●── 누가 '빵 터진다'라고 처음 얘기했냐고? 바로 이 사람이야.
빅뱅 모형에 반대하던 과학자 프레드 호일(Fred Hoyle)이 그 모형을 비아냥대느라 했던
BIG BANG이 요즘 우리가 받아들이는 모형의 이름이 됐지 뭐니.

본격적으로 빅뱅 모형에 대해 이야기하기 전에 해 두고 싶은 말은, 이런 우주 모형은 단박에 완성되는 것이 아니라는 점이야. 과학자들은 수십 년에 걸쳐, 인내심이 필요한 관측과 끊임없이 반복되는 계산의 결과에 따라 모형을 수정하고 또 수정해. 물론 지금도 수정하고 있어. 그러니 빅뱅 모형은 아직도 연구 중인 모형인 거야. 빅뱅 모형은 우주의 역사 전체를 설명하는 모형은 아니야. 우주의 역사 초기에 무슨 일이 벌어졌는지를 설명하는 모형이지. 자, 그럼 빅뱅 모형이 나오게 된 과학적 배경을 이야기해 볼까.

21세기에 들어서 천문학자들이 알아낸 가장 놀라운 사실은 우주가 계속 팽창하고 있다는 것이고, 관측 자료가 말해 주는 더 놀라운 사실은 갈수록 더 빨리 팽창한다는 점이야.

이럴 수가! 우리는 팽창하는 풍선 속에서 살고 있는 것과 비슷한 상황에 놓여 있는 거야. 다행스러운 것은 우주가 너무 커서 우리가 그걸 전혀 느낄 수 없을 뿐 아니라 우리 삶에 그다지 큰 영향을 주지 않는 것처럼 여겨진다는 거지. 그래서 지구에 사는 우리로서는 그리 큰 문제가 아닌 것 같지만, 곰곰이 생각해 보면 우주가 계속 팽창하고 있다는 사실은 매우 흥미로운 상상을 하도록 만들어. 인간에겐 호기심이라는 것이 있거든.

누군가 우리 우주의 역사라는 영화를 보다가 그 영화를 거꾸로 돌렸다고 상상해 봐. 물론 이 영화는 우주가 계속 팽창하는

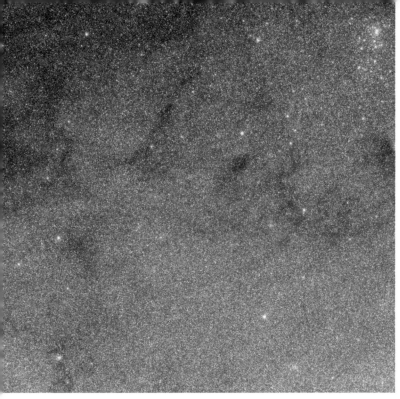

•——— 저 많은 별들이 한 점에 모여 있었다니! 놀라워라. 빅뱅!

것만 보여 주는 매우 지루한 영화임이 분명해. 그러니 빨리 되감기 버튼을 눌러야 할 거야. 우주의 역사를 거슬러 올라가면 우주는 작아져. 자꾸자꾸 작아지다 나중에는 아주 놀라운 일이 생겨. 바로 이 우주를 한 점에 몰아넣을 수 있는 거지. 정말 놀랍지 않아?

뭐 그런 터무니없는 소리가 있냐고? 하지만 들어 봐, 이런 어이없는 생각을 처음으로 한 사람들은 과학자들이야. 비싼 학비를 들여 오랫동안 대학에서 공부한 과학자들이 우주는 한 점에서 출발했다고 하니 어쩌겠어! 믿는 수밖에.

자, 그럼 영화를 처음부터 다시 볼까. 아주 작은 한 점에 우주를 이루는 물질이 모여 있으니 그냥 두면 터져 나올 것이 분명해. 이유는 간단해. 너무 비좁으니까. 흔들던 콜라 캔을 땄을 때를 상상해 봐. 콜라도 그 난리를 피우며 터져 나오는데, 우주를 몰아넣은 한 점이라니! 그건 분명 대단히 큰 폭발일 거야.

바로 그거야. 점이었던 우주는 비좁아서 폭발을 한 거라고! 하교시간이 되면 학교에서 터져 나오는 학생들과 너무나 비슷한 상황이야. 이런 걸 두고 과학자들은 "엄청난 압력 때문에 공간이 팽창했다"라고 하지.

우주는 138억 년 전 아주 작은 한 점이 폭발하면서 시작되었어. 폭발로 퍼져 나가는 족족 공간이 생겨났고 말이야. 그래서 과학자들은 '커다란 폭발!'이라는 뜻으로 'Big Bang'이라고 쓰고, 이 우주 모형을 빅뱅 모형이라고 부르기로 했어.

사실 이 용어는 빅뱅 모형에 반대하던 과학자가 비아냥대는 투로 라디오 방송에서 한 말인데, 빅뱅이라는 단어가 너무나 인상 깊어서 이후로 그냥 끌어다 쓰기로 했다지 뭐야. 이름이 생겨난 이유가 어이없다고? 그래도 재미있잖아.

빅뱅!

어쩌다 플랑크 시대

초기 우주에 무슨 일이 있어났는지를 상상하는 데는 입자와 힘에 대한 이해가 꼭 필요해. 우주에 사건을 일으킬 주인공은 입자와 힘, 이 두 가지밖에 없기 때문이지. 물론 더 많은 것이 있을지 모르지만 지구에 있는 과학자들은 이것 말고는 아직 아는 것이 없어. 솔직히 말하면 이 두 가지만 생각하는 것도 버거워. 다른 걸 돌아볼 여력이 없는 거야.

이런, 입자니 힘이니, 듣기만 해도 머리가 아파 오는 단어들이 나왔네. 그러나 걱정할 필요 없어. 지금부터 우리는 스스로에게 최면을 거는 거야. '입자는 그냥 단어다', '힘도 그냥 단어다', '그냥 그렇다고 생각하는 거다.' 호잇!

빅뱅 직후부터 10^{-43}초 동안을 플랑크 시대, 혹은 플랑크 시간이라고 해. 과학자들은 이렇게 말하곤 해.

"지금 이 순간에도 1초 동안 플랑크 시간이 10^{43}번 반복된 셈입니다!"

무척 잘난 척하면서 말하지만 사실 그들도 이 시간을 느낄 수는 없어. 인체는 이런 시간을 감지하도록 진화하지 않았으니까. 왜?

필요 없거든.

그러니 플랑크 시대를 느낄 수 없는 건 정상이야. 정상적인 사람은 절대 느낄 수 없는 시간이라고. 걱정할 필요가 전혀 없어.

플랑크(Max Planck)는 양자역학에 지대한 공을 세운 물리학자로 그가 한 일에 대해 자세히는 몰라도 과학 공부를 한 사람이라면 플랑크 시대, 플랑크 상수, 플랑크 길이 등 적어도 세 번은 이 사람의 이름을 불렀을 가능성이 커. 사실 과학자들이 플랑크라는 단어를 거론할 때는 "나는 그 시간 안에 무슨 일이 벌어졌는지 모른다" 또는 "나는 그것보다 짧은 것에 대해서는 모른다"를 아주 세련된 방법으로 고백하는 거야. 진짜로 과학자들을 포함해 모든 지구인은 플랑크 시대를 적절히 설명할 이론이나 수식을 몰라. 하다못해 거짓말도 못해. 왜냐하면 정말 아무것도 모르기 때문이지.

현재 과학자들은 플랑크 시대를 설명할 수 있는 이론을 만들려고 무척 애쓰고 있어. 애를 쓰는 것이 삶의 낙인 이 사람들은

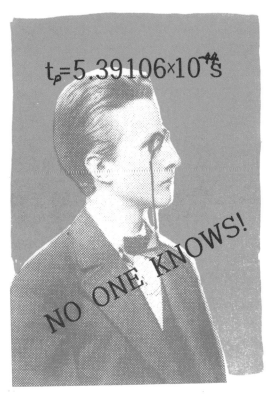

$$t_p=5.39106\times10^{-44}s$$

NO ONE KNOWS!

•—— 막스 플랑크. 과학 공부를 한 사람이라면 플랑크 시대, 플랑크 상수, 플랑크 길이, 이렇게 적어도 세 번은 이 사람의 이름을 불렀을 가능성이 크다.

양자역학과 일반상대성이론을 합칠 수만 있다면 플랑크 시대를 설명할 수 있을지도 모른다고 생각하고 있어. 그럼에도 불구하고 추측할 수 있는 한 가지는 오늘날 우주를 지배하는 네 가지 힘이 플랑크 시대에는 모두 하나로 합쳐져 초힘의 상태로 있었다는 사실이야. 네 가지 힘이란 중력, 강력, 전자기력, 약력을 말하는 거야. 머리가 아파 오지? 그럴 땐 주문을 외워.

'이건 그냥 단어다!'

네 힘을 합한 초힘은 영어로 Super Force라고 하는데, 왜 그런지 Super Power가 더 친근하게 들린다는 것을 말해 두고 싶어. 뭔가 더 강력해 보이잖아? 물론 플랑크 시대에 초힘이 무얼 했는지 전혀 알 수 없어. 적어도 지구인 중에서는 아는 인간이 하나도 없어. 그러니 우리는 정상이야.

빅뱅 후 플랑크 시대에 이 네 가지 힘이 합체를 이룰 수 있었던 것은 우주가 10^{32}K가 넘는 엄청난 고온에다 초고압이었기 때문이야. 이건 마치 네 형제가 침대 하나인 방에서 아웅다웅하면서 생활하는 것과 조금 비슷한 상황이지. 좁은 곳에 여럿이 있다 보면 자연히 싸우는 것은 물론 사생활이 보장되지 않으면서 뒤엉켜 살아야지 않겠어. 자신의 영역이라는 것이 없으니 계속 부딪칠 수밖에 없는 거지. 아 참, K는 절대온도인 켈빈온도를 가리키는 말로 0K는 섭씨 −273도라는 것 기억하고 있지?

다행스럽게도 우리의 우주는 아주 짧은 시간 동안 점보다는 크게 팽창을 했고, 측정 불가능이었던 우주의 온도도 10^{32}K로 내려갔어. 하지만 이 온도 역시 우리 감각으로는 상상할 수 없어. 한 번도 경험해 보지 못한 온도니까. 우리의 감각과는 상관없이 바로 그 순간 우리에게 가장 익숙한 힘인 중력이 초힘으로부터 분리되어 나왔어. 당당히 독립을 선언하고 자신만의 모습을 찾아 나온 것이지. 중력에게 박수를!

중력이 독립한 이 순간, 과학자들은 플랑크 시대가 끝났다고 선언했어. 뭔지 모르던 혼돈의 시대에서 우리가 알고 있는 뭔가가 튀어나왔으니 얼마나 기쁘겠어? 크게 선언할 만해.

"여러분, 플랑크 시대가 끝났어요!"

중력은 별과 행성, 은하와 은하단 등 질량이 있는 물질 사이에 작용하는 힘이야. 아울러 우리에게 가장 친숙한 힘이기도 하지. 중력 덕분에 지구는 태양계에서 튀어 나가지 않고 평화롭게 일 년에 한 번 태양을 도는 운동을 계속할 수 있어. 지구가 1초에 30킬로미터라는 놀라운 속력으로 공전함에도 불구하고 우리가 아무것도 모른 채 독서를 할 수 있는 이유 또한 지구와 대기 사이에 작용하는 중력 덕분이고, 우리가 우주로 튕겨져 나가지 않고 땅에 붙어 살 수 있는 것은 나와 지구 사이에 작용하는 중력 덕분이야.

중력은 전 우주에 광범위한 규모에서 작용하는 힘으로 중력 렌즈, 중력파 등 매우 흥미로운 현상의 원인이야. 우주여행을 꿈꾸는 지구인들에게는 지구를 벗어나기 위해 극복해야 하는 힘이고 모든 우주 비행에 꼭 고려해야 할 아주 중요한 힘이기도 해. 이렇게 중요한 힘이지만 눈에 보이지 않기 때문에 이해하는 것이 말처럼 쉽지는 않아. 아무튼 확실한 것은 중력이 없는

•—— 나선은하 UGC1810과 그 밑으로 보이는 UGC1813. 두 은하를 묶어 RP273이라고 부른다. 두 은하는 서로의 중력에 이끌려 멋지게 틀어졌다. 중력이 아니라면 누가 은하를 비틀 수 있을까? 중력이 없는 우주는 상상할 수 없다.

우주는 상상할 수 없다는 것. 그런 중력이 플랑크 시대 끝에 초힘으로부터 당당하게 분리되어 나온 거야.

중력 만세!

만세를 부르짖는 이 순간 1초가 흘렀네. 1초란 플랑크 시대를 10^{43}번 반복할 수 있는 시간이고 중력이 초힘으로부터 10^{43}번 독립할 수 있는 시간이야. 정말 긴 시간이지 뭐야!

어쩌다 대통일 이론의 시대

이름부터 뭔가 비장함이 느껴지는 이 시대는 10^{-43}초에서 10^{-38}초까지 이어지는 정말이지 짧은 시간이야. 아, 다시금 빅뱅 모형을 만들고 수정하는 과학자들에 대해 생각하지 않을 수 없어. 도대체 무슨 생각으로 이런 짧은 시간 동안 있었던 일을 캐려고 하는 거야?

너무 화내지 마. 다 이유가 있어서 그런 거니 말이야. 이 짧은 시간 동안 있었던 일을 설명하지 못하면 그 뒤에 일어난 일을 설명할 수 없어서 그래. 꼬리에 꼬리를 무는 이야기를 완성해야 하는데 꼬리가 몇 군데 없으면 답답하잖아? 그래서 그 꼬리를 찾으려고 애쓰는 거야.

아무튼, 당시 우주의 온도는 10^{32}K에서 10^{29}K로 내려갔지만 여전히 뜨거웠고 압력 또한 무시무시했어. 여전히 우리는 느낄 수 없는 온도지만 말이야. 우주에는 가장 먼저 독립한 중력과 대통일힘이 존재했어. 눈치 빠른 사람이라면 대통일힘이란 강력, 전자기력, 약력이 합쳐진 힘이라는 것을 알아차렸을 거야. 또 이 시대가 끝나려면 합쳐진 힘 세 가지 중 어느 하나가 풀려 나야 한다는 것도 예상했을 것이고 말이야.

빙고!

운명의 실타래를 풀지 못해 서로 엉켜 있던 세 힘 가운데 가장 먼저 자신의 모습을 찾은 것은 강력이었어. 어떻게 먼저 풀려났냐고? 그건 아무도 몰라. 모른다는 말을 이렇게 당당하게 하니까 기분 좋지? 게다가 이렇게 모르는 것이 많다는 건 좋은 일이기도 해. 우리가 할 수 있는 일이 아직 남아 있다는 뜻이니까. 여기서 확실히 아는 것은 대통일 이론의 시대가 끝났다는 것이야.

강력은 원자핵이 흩어지지 않도록 잘 붙여 주는 초강력 본드야. 우리 몸을 비롯해 세상 만물을 구성하는 원자가 멀쩡하게 제 역할을 할 수 있는 것은 초강력 본드인 강력이 원자핵을 구성하는 양성자와 중성자를 잘 붙여 주기 때문이지.

가만히 생각해 보면 원자핵이 멀쩡하게 존재한다는 것은 참 이상해. 원자핵은 보통 플러스 전하를 가진 양성자들과 중성인 중성자로 이루어져 있는데 신기하게도 플러스 전하끼리 밀어내지 않는 거야.

뭐? 그런 걸 생각해 본 일이 없다고? 이제 좀 생각해 봐.

아무튼 양성자끼리 밀어내지 않고 원자핵 안에 잘 붙어 있는 것은 본드 역할을 하는 강력 덕분인 거야. 동일한 거리를 놓고 비교하면 중력보다 강력이 훨씬 세지만 원자핵 규모를 벗어나면 급속하게 세력이 약해지는 것이 강력의 특징이야. 그래서 우리는 평상시에는 강력을 느끼지 못하고 중력을 더 친근하게 여기지.

뭐야, 대통일 이론의 시대는 이것으로 끝인가?

아니야.

이때 정말 굉장한 사건 하나가 일어났어. 바로 급팽창이라는 사건이야. 급팽창, 말 그대로 우주가 갑자기 팽창했다는 뜻인데, 이 극적인 일은 강력과 우주 사이에 이루어진 은밀한 거래 때문에 일어났어. 무슨 거래일지 자못 궁금하지? 어떻게 된 내막인지 이야기해 줄게.

우주의 온도가 내려가자 강력이 얼어붙어 대통일힘에서 떨어져 나왔어. 이 과정은 물이 얼어붙는 과정과 아주 비슷해. 액체인 물이 고체인 얼음이 되려면 물 분자는 자신이 가지고 있던 운동에너지를 누군가에게 주어야만 해. 공기 중으로 방출하든 다른 액체에 주든, 그건 환경에 따라 달라질 수 있어. 물 분자가 운동에너지를 주고 나면 힘이 없어 움직일 수 없고, 그렇게 힘이 빠진 물 분자들이 줄맞춰 있는 것이 바로 얼음인 거지. 이 것을 전문용어로 결정화 되었다고 해. 강력이 바로 이런 상태를 그대로 따라 한 거야.

강력은 아주 짧은 시간 동안 얼어붙어 제 모습을 찾아냈고 그러기 위해 자신이 가지고 있던 에너지를 우주 공간에 방출했어. 우주 공간이 그 힘을 받아먹을 의도가 있었는지 아니었는지 모르겠으나 선택의 여지가 없었을 거야. 우주가 아니면 누가 강력이 떼어 버린 에너지를 받아 주겠어?

아니면 이렇게 생각할 수도 있어. 모든 것이 엉켜 붙은 우주에서 강력은 자유를 얻기 위해 자신의 에너지를 우주에게 내주고 무일푼으로 떨어져 나온 거지. 자유를 얻는 대가를 지불했다고나 할까! 아, 이건 좀 감동적인데.

그 내막이 어떤 것이든 우주 공간은 강력이 내뿜는 막대한 에너지를 주체할 수 없었어. 당시 우주 공간은 너무나 작았거든. 비좁은 우주 공간이 잡아 두기엔 강력이 배출한 에너지가 너무 컸어. 이 난국을 해결할 방법은 오직 하나, 공간을 넓히는 거야. 그것도 빠르게!

믿기지 않겠지만 이때 우주는 빛보다 빠른 속도로 팽창했어. $10^{-33} \sim 10^{-32}$초라는 아주 짧은 시간 동안 우주는 굴만 한 크기에서 태양계 크기로 팽창했지. 급팽창한 시기가 정확히 언제부터인지 확실히 알 수는 없어. 다만 대통일 이론 시기 끝 무렵에

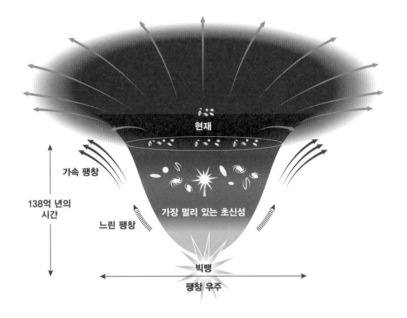

현재

가속 팽창

138억 년의
시간

느린 팽창

가장 멀리 있는 초신성

빅뱅

팽창 우주

● —— 우주의 급팽창! 대단히 짧은 시간 동안 공간은 빛의 속도보다 빨리 팽창했다.
그 탓에 오늘날 우주를 이해하는 것이 쉽지 않다. 우주, 도대체 왜 그러는 거야?

는 우주의 급팽창이 일어났어야 오늘날의 우주가 설명된다는
점에 많은 이가 의견을 모으고 있어.

　여기서 한 가지, 빛보다 빠른 것이 있느냐고 묻는 사람이 있
을까 봐 말해 둘 것이 있어. 우주에 빛보다 빠른 물질이 없는
것은 맞아. 그러나 급팽창 시기에 커진 것은 물질이 아니라 공
간이야. 우주 공간이 팽창하는 속도에는 아무런 한계가 없어.

물론 다 알고 있겠지만 노파심에 한마디 해 봤어.

급팽창 장면을 도저히 상상할 수 없다고? 염려하지 마. 이렇게 말한 과학자들도 계산해서 알았을 뿐 이것이 도대체 어떤 광경일지 몰라. 그러니 누구라도 이 상황을 그리거나 은유가 가득한 그림으로 표현한다 해도 뭐라 할 사람은 없어. 아무도 그때 그 상황을 본 적이 없으니까. 정말 이상한 일은, 이런 믿기지 않는 팽창이 있었다고 인정해야 오늘날 우주를 관측해서 알아낸 이상한 일들을 모두 설명할 수 있다는 점이야.

이상한 이론으로 이상한 현상을 설명하다니, 정말 이상하지?

어쩌다 전기약력의 시대

우주에도 마법의 시대가 있었어. 아주 짧은 순간이긴 하지만 말이야. 전기약력의 시대가 바로 마법의 시대야. 무슨 이야기인지 들어 볼래?

대통일 이론의 시대 이후부터 10^{-10}초까지의 시간을 전기약력의 시대라 불러. 중력에 이어 강력이 대통일힘에서 분리되어 나간 이후에도 전자기력과 약력은 여전히 손을 잡고 우주를 떠돌고 있었어. 그래서 이 시대의 이름이 전기약력의 시대야. 온도는 계속 죽죽 내려가 우주는 계속 식어 갔어. 그래 봤자 10^{29}K에서 10^{15}K이니 어마어마한 고온이지. 이 시대를 왜 마법의 시대라고 부를 수 있는지 설명해 줄게.

빅뱅 이후 수 초 동안 우주는 너무 뜨거워서 믿기지 않는 일이 벌어졌어. 물질이 없던 우주에 느닷없이 물질이 튀어나온 거야. 그리고 이내 사라졌지. 말 그대로 허공에서 무언가 생겨났다가 다시 사라지고, 또 생겨났다가 사라지는 일이 무수히 되풀이되었지. 이건 마법일까? 아니, 이게 마법이 아니고 뭐야?

그런데 말이지, 이건 과학으로 설명할 수 있는 현상이야. 빛이 어느 정도 있어야 물질이 얼마나 생기는지 알아내는 공식도 있단 말이지. 과학을 싫어하는 사람이라도 아인슈타인에 대해서는 들어 보았을 거야. 아인슈타인은 일반상대성이론이라는 연구를 하면서 광자가 물질로 변하거나 그 반대의 일이 일어날 수 있다고 주장했어. 그리고 그 유명한 $E=mc^2$이라는 공식을 남겼지.

이 공식에 쓰여 있는 영문자에 대해 간단히 설명하자면, m은 물질의 질량이고 c는 빛의 속도, E는 에너지야. (물질의) 질량과 에너지 사이에 등호가 있다는 것을 눈여겨 볼 필요가 있어. 등호, 바로 같다는 소리잖아! 교환이 가능하단 말이지. 광자란 빛을 이르는 또 다른 말이야. 빛나는 입자라는 뜻이지.

이 식에 따르면 물질은 에너지로, 에너지는 물질로 전환할 수 있어. 다시 말해 적절한 양의 물질과 빛은 상호 교환할 수 있다는 거지. 마치 우리나라 돈인 원화와 미국 돈인 달러를 바꾸는 것처럼 말이야.

자, 그럼 빛이 물질로, 물질이 빛으로 변하는 과정을 알아볼까!

전자를 예로 들어 볼게. 광자 두 개가 만났어. 아니, 광자들은 당연히 빛의 속도로 다니니 어마어마한 충돌을 했다고 보는 편이 옳겠네. 광자가 충돌하는 순간 광자는 사라지고 전자와 반전자가 생겨나. 모든 충돌 때마다 전자와 반전자가 생겨나냐고? 그건 아니야. 두 광자가 가진 에너지를 아인슈타인의 식에 넣었을 때 마침 전자 두 개의 질량과 같거나 질량보다 살짝 클 때만 가능해. 이걸 아주 간단하게 정리해 보면 이렇게 될 거야.

광자1 + 광자2 (전자 두 개 질량으로 환산할 수 있는 에너지)

↓ (변환)

전자 + 반전자 (전자 두 개의 질량)

광자1과 광자2의 에너지는 반드시 같지 않아도 돼. 둘의 합이 전자 두 개를 만들 에너지가 되면 오케이인 거지. 참, 전자와 반전자는 물질이냐 반물질이냐만 다를 뿐 에너지의 양은 둘이 똑같아. 질량이 같다는 말이지. 빛이 전자와 반전자로 변형된 거야. 여기서 잠깐, 새로운 용어가 나왔으니 살펴보고 갈까.

전자는 알겠는데 반전자는 뭐지?

반전자는 플러스 전하를 가진 전자야. 양전자라고도 부르지. 전자가 마이너스 전하를 가지고 있다는 것쯤은 알고 있지? 그래서 전자와 반전자가 만나면 빛으로 변신하는 거야. 양성자와 중성자의 구성성분인 쿼크도 전자와 같은 방식으로 생겨났다가 빛으로 변하는 일을 되풀이했어. 쿼크 세 개가 만나면 양성자나 중성자를 만들 수 있지만 그러기엔 온도가 여전히 높았어.

자, 그래도 시간은 똑딱똑딱 흐르고 전기약력의 시대도 막이 내릴 순간이 왔어.

방법은?

전자기력과 약력이 분리되는 거야.

어떻게 분리되었냐고 묻지 마. 아무도 모르니까. 지금으로선 그냥 분리되었다고밖에 말할 수 없어. 이제 전자기력과 약력은 서로에게 연연하지 않고 용감하게 관계를 끊어! 이로써 우주를 지배하는 네 개의 힘이 모두 모습을 드러낸 셈이지. 누군가에게 모습을 드러낼 때는 용기가 필요한 법이야. 암, 그렇고말고!

전자기력은 입자의 전하에 따라 좌우되는 힘이야. 원자와 원자, 원자와 분자 사이에서 작용하는데, 원자와 분자가 가지고 있는 전하의 크기에 따라 서로 결합하기도 하고 떨어지기도 해. 우리가 알고 있는 모든 화학반응, 생물학적 반응이 전자기력으로 이루어져.

전자기력은 중력처럼 두 물질이 가까울수록 세지고, 멀어질수록 약해지지만 원자나 분자 규모를 넘어서면 양전하와 음전하가 서로 상쇄되어 중성이 되므로 거의 없는 것처럼 보여. 우리 몸도 중성인 거야. 전자기력 역시 원자나 분자 규모에선 중

●── 아인슈타인과 반아인슈타인? 질량은 에너지와 등가교환 관계에 있다.

력보다 우세하지만 중성의 세계가 되어 버린 행성, 별에 이르는 큰 규모에서는 역시 중력이 우세해. 약력은 핵분열, 핵융합에서 중요한 역할을 하는 힘으로, 이 역시 원자핵 규모에서는 중력보다 훨씬 세지만 원자의 크기를 넘어서면 급격히 약해져.

중력, 강력, 전자기력, 약력은 빅뱅 이후 10^{-10}초도 안 되는 짧은 시간에 모두 차례대로 독립해서 오늘날 우주를 지배하게 되었어. 네 가지 힘 중 우리에게 가장 친근한 것은 뭐니 뭐니 해도 중력! 그러나 우리가 아는 한, 우주를 유지하는 데는 이 네 가지 힘이 다 필요해!

드디어 입자

아휴, 숨 좀 쉬자. 10^{-10}초 안에 무슨 일이 이렇게 많이 벌어진 거야. 이제 겨우 시작인데 말이야.

그런데 말이야, 여기서 생각해야 할 것이 있어. 빛의 속도로 움직이고 빛의 속도로 반응을 하는 빛과 입자들 사이에서 벌어지는 사건은 말 그대로 빛의 속도로 이루어지기 때문에 10^{-10}초도 아주 긴 시간이야. 인간이 느끼고 행동하고 생각하는 것과 비교할 수 없어. 인간은 무엇인가를 보고 판단하거나 촉각으로 무언가를 알아채는 데 적어도 0.5초가 필요해. 물론 우리 무의식, 곧 뇌는 그것보다 빨리 알아채지만 우리 의식은 무디기 그지없단 말이지. 그런 까닭에 초기 우주에서 벌어진 모든 일은 우리로서는 도저히 상상할 수 없어. 지금까지 한 이야기는 이

것만 평생 생각해 온 과학자들의 머리 안에서 만들어진 이야기야. 물론 허황된 이야기가 아니라 관측과 실험에 근거를 둔 과학적인 이야기지.

〈엑스맨〉이라는 영화를 본 적 있니? 〈엑스맨: 데이즈 오브 퓨처 패스트〉 편에는 매우 빠르게 움직이는 초능력을 타고난 캐릭터가 나와. 총알이 날아다니는 싸움 장면에서 이 캐릭터는 아주 빠르게 뛰어다니며 총알의 방향을 바꾸고 적에게 물건이 날아가도록 방향을 바꾸는데, 그때 총알, 프라이팬, 사람들은 모두 멈춰 있고 모든 것이 멈춘 동안 빠른 소년만 돌아다니며 이 일을 다 해내지. 이 장면이 뜻하는 바는 총알처럼 빠르게 날아가는 것도 이 초능력자의 속력에 비하면 멈춘 것이나 다름없다는 거야. 시간은 상대적이라는 것을 보여 주는 셈이지.

초기 우주의 시간 흐름과 오늘날 우리가 느끼는 시간의 흐름도 이와 비슷한 상대성을 가지고 있어.

자, 이제 10^{-10}초 이후의 일을 이야기해 볼까.

드디어 네 가지 힘이 모두 분리되고 전기약력의 시대가 막을 내리면서 입자의 시대가 열렸어.

빅뱅 이후 0.001초에 이르는 동안 우주에는 전자, 중성미자, 쿼크와 각각의 반입자가 정신없이 춤을 추고 있었지. 그런 중에 쿼크가 합쳐져 양성자와 중성자가 되었어. 물론 반쿼크들이 합쳐져 반양성자, 반중성자도 생겨났지.

이제야 우리가 처음에 의문으로 여겼던, 물질은 어디에서 왔는가에 대한 답을 얻을 수 있는 것처럼 보여. 왜냐하면 양성자, 이것은 바로 수소의 핵이거든. 수소의 핵은 전자를 하나 얻어 수소 원자가 될 수 있어.

수소! 모든 물질의 기본 단위. 정말 중요한 수소의 핵이 드디어 생겨난 거야!

그러나 수소 핵인 양성자는 아직 안정한 원자핵이 아니야. 여전히 우주의 온도가 높아 사방에서 달려드는 입자들과 부딪쳐 깨지기 일쑤였거든. 양성자와 중성자는 만들어지는 즉시 깨져서 쿼크로 돌아가곤 했어. 그러나 걱정할 건 없어. 우주는 계속 팽창하고 있기 때문에 언젠가는 양성자가 깨지지 않을 정도로 온도가 낮아질 테니 말이야.

시간이 해결해 준다는 말이 있잖아? 이건 초기 우주에서도 그대로 통하는 말이야.

시간이 흘러 흘러 공간이 넓어지고 입자들 사이가 멀어지면서 우주의 온도가 점점 낮아졌어. 입자들의 운동 또한 둔해졌지. 입자들의 운동성이 떨어지니 다른 입자와 만날 가능성이 낮아진 것은 물론이고 말이야. 그 덕분에 쿼크들은 다시 깨지지 않고 양성자나 중성자의 모습으로 머물 수 있었던 거야. 그렇게 입자 시대 끝 무렵에는 모든 쿼크가 양성자나 중성자의 일부가 되었어.

우아, 이제 안심해도 돼. 우리를 이루는 물질의 기본 원자가 드디어 안정되었으니 말이야.

그런데 전기약력의 시대에 빛으로부터 입자와 반입자가 생겨났다는 점을 생각한다면 오늘날 우리가 이렇게 멀쩡하게 살아 있다는 것이 참 이상한 일이야. 왜냐하면 입자 시대 끝에 양성자와 반양성자, 중성자와 반중성자가 모두 충돌해 사라졌다면 우리 같은 물질이 남아 있을 수 없잖아? 이 세상은 여전히 빛으로 그득 차 있어야 한다고. 하지만 물질인 우리는 이렇게 멀쩡하게 존재하고 있어. 이건 어찌 된 일일까?

입자 시대에 물질과 반물질이 정확히 같은 수가 있었다면 이들은 모두 짝을 찾아 빛으로 장렬한 최후를 장식하고 다시는 물질이 생겨나지 않았을 거야. 빛만 있는 곳에서 물질이 생겨나기엔 온도가 너무 낮아졌거든, 입자 시대의 끝에는!

확실한 사실 하나는, 물질과 반물질의 개수가 같지 않았던 것은 물론이고 물질이 조금 더 많았다는 점이야. 그걸 어떻게 아냐고? 우리가 바로 증거야. 우리는 물질로 이루어져 있으니까. 물질이 반물질보다 조금이라도 많지 않았다면 우리는 지금 이 글을 읽고 있지 못할 거 아니야? 그리고 이 우주는 반물질로 이루어진 색다른 우주가 되었을 거야. 물론 우리로서는 도저히 상상할 수 없지만 말이야.

오늘날 천문학자들이 계산해 낸 바에 따르면 이 시기에 10억

● —— 허블 우주망원경이 촬영한 창조의 기둥. 이런 이름이 붙은 이유는 기둥 끝에서 새별이 태어나고 있는 중이기 때문. 기둥의 주성분은 수소 가스와 우주 먼지로, 이것은 우주 역사 초기에 물질이 반물질보다 조금 더 많았다는 확실한 증거 중 하나다. 아니 멀리 갈 필요도 없다. 우리가 바로 증거니까!

개의 반양성자와 10억하고도 1개의 양성자가 있었다고 해. 그러니 10억 개의 양성자와 반양성자는 만나서 빛으로 변신했고, 남은 양성자 하나가 오늘날 우리를 이루는 물질인 거지. 참, 양성자가 오직 하나가 있었다는 뜻은 아니라는 것 알고 있겠지? 입자의 개수로 보았을 때 10억 대 1의 비율로 양성자가 하나씩 있었다는 말이야.

이 우주는 짝이 없는 양성자 덕분에 오늘날과 같은 모습을 갖추게 된 거야. 짝이 없어서 얼마나 다행인지 몰라!

드디어 핵융합

　빅뱅 이후 0.001초부터 5분까지를 핵융합의 시대라고 해. 아휴, 이제 좀 피부로 느낄 수 있는 시간이 등장하네. 정말 기쁘고 마음이 편하지 뭐야. 그동안 지수로 쓰인 숫자 읽느라고 고생한 걸 생각하면 너무 편하고 좋네.

　사실 0.001초가 매우 짧은 시간이긴 하지만 동계올림픽에서 1000분의 1초 수준에서 금메달을 다투는 것을 늘 보아 온 우리로서는 이 시간이 그리 낯설지 않아. 게다가 5분이라니! 5분 동안 우리는 정말로 많은 일을 할 수 있다고. 컵라면에 물을 부어다 먹어 버리는 데 충분하고도 남는 시간 아니야!

　빅뱅 이후 5분 동안 우주에서는 정말이지 중요한 일이 벌어졌어. 입자 시대에 만들어진 양성자와 중성자가 핵융합을 해서 더 무거운 원소의 핵을 만든 거야. 수소 말고 헬륨 같은 것을 만들었다 그런 말이지.

참, 혹시나 핵융합과 핵분열이 헷갈리는 사람들을 위해서 잠깐 설명을 하고 지나갈게. 너무 어렵게 생각하지 마. 단어에 뜻이 다 나와 있다고. 핵융합은 두 개의 원자핵이 충돌로 들러붙어 더 무거운 한 개의 원자핵이 되는 거야. 핵분열은 우라늄 같은 무거운 핵이 중성자를 맞고 더 작은 원자핵 두 개로 쪼개진다는 뜻이고 말이야. 별의 중심부에서 양성자들이 들러붙어 헬륨의 핵이 되는 것은 핵융합의 좋은 예이고, 지구에 있는 우라늄의 핵이 쪼개져 더 작은 원자의 핵으로 나뉘는 것은 핵분열의 한 예야. 어때, 간단하지?

그러나 이 당시 온도는 매우 높아서 무거운 핵이 생겨나도 곧바로 깨지고 말았어. 온도가 높다는 것은 입자들의 움직임이 빠르고, 밀도 또한 높아 서로 부딪힐 경우가 많다는 뜻이라는 것쯤은 이제 짐작할 수 있겠지? 그런 이유로 온도가 높은 곳에서는 갓 생긴 원자의 핵이 충돌로 깨지기 일쑤라는 것도 말이야. 뭉칠 기회가 없는 거지.

우주에서는 높은 온도 때문에 양성자와 양성자가 충돌하는 일이 자주 일어났어. 이때 말이야, 아주 흥미로운 입자가 생겨났어. 그건 바로 중수소야.

수소는 양성자 하나면 충분한데 거기에 중성자 하나가 들러붙어 보통 수소보다 무거운 수소가 생겨난 거지. 그래서 '무거울 중'을 써서 중수소인 거야. 어떤 사람은 이렇게 물을지도 몰라. 양성자에 중성자가 들러붙으면 그건 수소와는 전혀 다른 물질 아닌가요?

물론 그렇게 볼 수도 있지. 그런데 전기적 성질을 보면 양성자가 하나든, 양성자 하나에 중성자 하나가 붙었든 여전히 양전하 하나만큼의 값어치만 있는 거야. 양전하 하나의 힘, 그것이 바로 수소 원자핵의 성질이거든. 그래서 수소는 수소인데 무거운 수소, 곧 중수소라고 부르는 거지.

중수소 말고 헬륨 핵도 생겨났어. 헬륨 핵은 양성자 두 개와 중성자 두 개로 구성되어 있어. 이건 수소와는 완전히 다른 전하값을 가져. 양전하 두 개의 값어치가 있단 말이지. 그러나 중수소 핵이나 헬륨 핵은 주변에서 날아오는 감마선을 맞고 깨졌어. 물론 그 옆에서는 다시 핵융합이 일어나 중수소 핵과 헬륨 핵이 태어났고 즉시 깨지지. 이와 같은 일이 수없이 반복되었어. 거의 5분 동안 말이야.

그런 중에도 우주는 빅뱅의 여파로 계속 팽창하고 입자들 사이의 거리가 멀어지면서 서로 충돌하는 횟수가 줄어들었어. 시간은 흐르고 이 모든 혼란이 막을 내릴 시간이 다가오고 있었던 거야. 빅뱅 이후 5분이 되자 그 순간까지 만들어진 헬륨 핵, 중수소, 아주 소량의 리튬은 더 이상 빛으로 변형되지 않고 그대

●── 멋진 우주 사진 속에서 찾아볼 수 있는 구름 같은 것은 십중팔구 수소 가스다. 왜 냐하면 우주는 거의 대부분 수소로 이루어져 있기 때문이다. 물론 헬륨도 우리가 알고 있는 한 우주를 이루는 물질 질량의 25%만큼 차지하고 있다. 그러나 개수로 치자면 수 소가 7배나 많다. 그러니 저 성운을 이루고 있는 수소와 헬륨의 개수비는 7:1가량 될 것 이다.

로 남았어.

이제 더 이상 핵융합이 일어나지 않았어. 그러기엔 우주의 온 도가 너무 낮아진 거야. 핵융합이 저절로 일어나던 시대는 끝 났어. 모든 일엔 끝이 있기 마련이지. 우주가 태어난 지 겨우 5

●—— 우주의 주요성분이 수소이니 우리의 태양 역시 대부분 수소로 이루어져 있다. 세실리아 페인가포슈킨은 이런 사실을 처음으로 알아냈으나, 태양은 철로 이루어져 있다고 믿은 당시 남성 과학자들은 그녀의 말을 믿으려 하지 않았다. 그러나 결국은 페인가포슈킨에게 무릎을 꿇을 수밖에 없었다. 태양은 수소로 이루어진 것이 확실하니까!

분이 지났을 뿐인데 실로 복잡한 일들이 벌어졌어. 우주는 5분 만에 세상 만물을 구성할 물질을 뚝딱 만들어 낸 거지. 정말 대단하지 뭐야.

우주의 나이 5분, 이 시기에 우주의 구성은 질량비로 볼 때 수소 75%, 헬륨 25%였고 아주 소량의 중수소와 리튬이 물질로 남았어. 그 구성성분은 오늘날까지 이어져 오고 있지.

이 세상을 이루고 있는 기본 원자는 바로 이때 완성되었어!

드디어 핵자

핵자 시대는 핵융합 시대 이후 38만 년 동안 지속되는 시대야. 그동안 초 단위, 분 단위 이야기를 하다 갑자기 38만 년이라니, 시간의 폭이 너무 커져서 느끼기 힘들 거야. 100년밖에 살지 못하는 인간이 1천 년도 아니고 1만 년도 아니고 38만 년이라니, 누구라도 이렇게 긴 시간을 제대로 상상하는 것은 힘들어. 아니 불가능하다고 봐야겠지.

우주의 역사를 이야기하다 보면 초기는 우리가 감지하지 못할 정도로 짧은 시간 동안 새로운 무대가 펼쳐지지만 그 이후로는 우리가 느끼지 못할 정도로 긴 시간 단위로 이야기가 이어져가. 우주가 불친절한 것 같지만 할 수 없어. 일이 그렇게 벌어진 걸 어찌겠어!

핵자 시대의 우주는 고온의 플라즈마 상태였어. 이런, 플라즈마라니! 다시 현기증이 나려고 하지? 침착해, 이건 그냥 단어야. 자, 들어 봐.

플라즈마 상태란 입자와 광자가 마구 섞여 충돌과 결합을 되풀이하는 혼란스러운 상태야. 예를 하나 들어 볼게. 인기 아이돌의 공연장이나, 세일 중인 쇼핑센터, 출퇴근 시간의 전철처럼 비좁은 공간에 많은 사람이 모여 있는 장면을 상상해 봐. 그런데 이 사람들이 그냥 있는 것이 아니라 한 손에는 물건을 다른 손에는 돈을 들고 거의 동시에 물건을 사고팔기를 되풀이하는 상황이라면 어떨까? 엄청 혼란스럽겠지? 이런 것이 플라즈마와 비슷하다고 볼 수 있어.

자, 그럼 핵자 시대의 플라즈마에는 무엇들이 엉켜 있었는지 살펴볼까. 핵자 시대의 플라즈마에는 핵융합의 시대에 완성된 수소의 핵, 헬륨의 핵, 전자 같은 입자와 다양한 에너지 상태의 광자가 섞여 있었어.

이렇게 입자와 광자가 섞여 있으면 누가 더 답답할까? 아마 플라즈마 상태에서 가장 답답한 것은 광자일지도 몰라. 광자는 원래 곧바로 나가고 앞에 걸릴 것이 없다면 무한한 공간을 뻗어 나갈 수 있어. 그러나 플라즈마 상태에 갇힌 빛은 곧바로 뻗어 나갈 기회가 없어. 아, 자유! 이건 누구나 누리고 싶어 하는 거 아니야? 그러나 광자는 그럴 수 없었지.

좀 앞으로 나가려면 바로 앞에 수소 원자가 있어. 방금 전에 수소 원자핵과 전자가 결합해서 만들어진 수소 원자가 말이야. 인사를 안 할 수 없잖아!

"안녕하세요, 수소 원자님."

두말할 필요도 없이 수소 원자는 수소 핵과 전자로 이루어져 있어. 이 둘 중 누가 답을 할까? 광자에게 다정한 말을 건네는 것은 전자야. 전자 역시 자유로운 영혼이라 자유를 얻고 싶어 하는데, 전자가 자유를 얻는 유일한 방법은 원자핵의 속박에서 벗어날 만큼, 또는 그보다 많은 에너지를 가지고 있는 광자를 만나는 거야.

우아, 이야기가 재미있어질 것 같지?

전자의 입장에서는 입자와 광자가 빽빽하게 모여 있는 플라즈마가 나쁘지만은 않아. 만날 기회가 많아지니까.

"어머, 광자님. 잠시 춤이나 추실까요!"

전자는 어렵지 않게 광자를 만나고 그 에너지 덕분에 수소 원자핵에서 떨어져 나와 자유전자가 되지. 자유전자라고 하니 웃는 사람이 있는 것 같은데, 이건 엄연한 전문용어야. 대학교재에도 나오는 말이라고. 뜻은 말 그대로 자유를 얻은 전자!

그러나 이 자유전자는 자유를 얻자마자 바로 옆에 있는 다른 수소 원자핵에게 잡히고 만다는 것이 함정! 왜냐하면 밀도가 너무 크니까. 플라즈마 상태란 그런 것이니 말이야.

전자가 다른 수소 원자핵에 붙들리는 그 순간 전자에게 자유를 주었던 광자는 다시 홀로 떨어져 여행을 해. 곧바로 나가는 광자만의 여행을 하는 거지. 물론 다음 수소 원자를 만날 때까지 아주 짧은 순간만 말이야.

상황이 이러하니 핵자 시대의 전자와 광자는 둘 다 동시에 자유를 얻을 수는 없었어. 둘이 동시에 행복할 수 없다니, 너무 슬픈 이야기 아니야? 우주는 원래부터 아이러니한 곳이었나 봐. 끊임없이 수건돌리기 하는 것과 같은 이런 상황은 38만 년 동안 되풀이되었어. 아마 우주 역사상 가장 긴 수건돌리기였을 거야.

만약 이때 누군가 우주에 있었다면 앞을 볼 수 없었을 거야. 광자가 곧바로 나가지 못하니 아무런 시각 정보를 전해 줄 수 없었던 거지. 이건 안개 속에 있는 것과 같아. 눈보라가 엄청나게 몰아치는 곳에서 앞을 볼 수 없고 놀이동산 인파 속에서 친구를 찾을 수 없는 것과 아주 비슷한 상황이야. 어느 경우든 빛은 먼 거리를 직진으로 날아오지 못하는 거지.

안개, 눈보라, 인파 속에서 앞을 볼 수 있는 방법은 오직 하나, 장애물을 걷어 내는 거야. 해가 떠서 안개를 증발시켜 버리거나 눈보라가 걷히거나 놀이동산의 영업시간이 끝나 사람들이 모두 집으로 돌아가야 하는 거지. 내 시야를 가리던 장애물이 사라지면 나는 앞을 볼 수 있어.

•── 우주가 태어난 지 38만 년이 되어서야 우주의 암흑 시대가 끝났다.

만약 장애물을 걷어 낼 수 없다면 좀 이상한 방법을 쓰면 돼. 공간을 늘리는 거지. 그 속에 들어 있는 분자나 사람의 수는 그대로 두고 말이야. 놀이동산의 바닥이 골고루 좌악 늘어난다고 생각해 봐. 면적은 넓어지고 사람 사이의 간격이 벌어지면 내 친구를 쉽게 찾을 수 있을 거야.

핵자 시대의 끝, 빅뱅 이후 38만 년 만에 벌어진 일이 바로 이것과 비슷해. 우주가 팽창하고 입자들 사이의 공간이 넓어지자 빛은 더 이상 방해를 받지 않고 앞으로 나갈 수 있게 되었어. 원자핵과 합체한 전자들과 부딪히지 않고 끝없이 날아갈 수 있게 된 것이지.

이제야 진정한 자유를 찾은 거야.

빅뱅 이후 38만 년 무렵, 우주의 온도가 3000K가 되었을 때 수소와 헬륨과 리튬 원자핵은 각자 책임질 수 있는 수의 자유전자들과 결합해 안정된 수소, 헬륨, 리튬 원자가 되었고, 바로 그 순간 자유전자로부터 떨어져 나온 광자들은 더 이상 어떤 원자와도 부딪히지 않고 한 방향으로 주욱 나갈 수 있었어.

빛이 곧장 갈 수 있게 되자 우주는 혼탁한 상태에서 벗어났어. 그건 우주에 무엇이 있는지 볼 수 있게 되었다는 말과도 같은데, 모든 천문학 교과서에는 이와 같은 상황을 '우주가 투명해졌다'라고 표현하지.

우주가 생긴 이래 처음으로 어떤 방해도 받지 않고 곧바로 날아간 광자들은 행동의 자유를 얻었으나 익명의 자유를 얻지는 못했어. 광자들은 자유를 얻는 순간 우주의 온도 3000K를 상징하는 일종의 표식을 갖게 되었는데, 그 덕분에 우리는 지금도 그 광자들을 알아볼 수 있지 뭐야.

나아가 그 광자들이 흩어져 있는 분포 사진을 찍을 수도 있어. 천문학자들은 그 자유 광자들에게 이름을 붙여 주었어. 바로 '우주배경복사'! 이름 속에 있는 '배경'이라는 단어에서 알 수 있듯이 이 광자들은 우주 어디에서나 찾아볼 수 있단다. 바로 지금도 말이지.

드디어 원자

빅뱅 이후 38만 년이 지났어.

쉬지 않고 팽창하는 우주에는 오직 한 방향으로만 뻗어 나가는 광자들과 수소, 헬륨, 리튬처럼 안정 상태를 찾은 원자들이 가득 차 있어. 정말 별 볼 일 없는 공간이야. 그냥 공간이 늘어난다는 것 말고는 딱히 흥미로운 일이 없어 보였으니 말이야. 하지만 이제 곧 흥미로운 일이 생길 거야. 별 볼 일이 생길 거다 그런 말이지.

자, 이제 우리는 우주를 보는 렌즈가 되는 거야. 망원렌즈처럼 먼 곳을 당겨서 확대해서 보기도 하고 다시 먼 곳에 놓고 전체를 보기도 하는 렌즈를 눈에 장착하고 우주를 보는 거야.

우주 전체 규모에서 보자면 우주는 점점 커지고 입자들 사이는 점점 멀어지지만 우주의 작은 부분을 골라서 보자면 상황은 살짝 달라. 당시 우주에는 물질이 좀 더 모여 있는 곳과 그렇지 않은 곳이 있었어. 그걸 어떻게 아느냐고 묻는다면, 그래야만 우리가 지금 존재한다는 아주 단순한 대답을 할 수밖에 없어. 우주에 물질이 골고루 균일하게 퍼져 있었다면 태양도 지구도 우리도 생길 수 없었다는 말이지.

자, 이제 망원렌즈를 조절해서 우주의 한 부분을 당겨 볼까. 물질이 좀 많이 모여 있는 곳으로 말이야.

주변보다 밀도가 큰 곳은 주변보다 강한 중력이 있다는 말과 같아. 그리고 상대적으로 강한 중력이 주변에 있는 물질을 더 끌어모으지. 우주에서 벌어지는 중력의 이끌림을 방해할 것은 아무것도 없어. 처음에는 아주 작은 양의 물질만 끌려오겠지만 곧 어마어마한 양의 물질이 질량중심을 향해 자유낙하 해. 그냥 물질들이 하늘에서 막 떨어지는 거야. 여기서 물질이란 대부분 수소야. 우주에 가장 많은 원소가 바로 수소니까 말이야. 그 결과 거대한 수소 공이 생기는 거지.

수소 공이라고? 별이 아니고?

조금만 기다려. 이제 곧 별 볼 일이 생기니까.

이렇게 생긴 공의 중심과 거죽은 환경이 아주 달라. 중심에 있는 수소들은 위에서 짓누르는 수소들 때문에 우주의 역사 초기에 있었던 것과 같은 고온 고압의 상태가 돼. 수소들끼리 너무 가까이 있고 너무 자주 부딪히고 전자를 잃었다 찾는 일을 수없이 되풀이하는 그런 상황이 되는 거야. 바로 플라즈마 상태야. 이때 수소 공은 가운데는 뜨겁고 바깥은 바삭한 크로켓과 비슷한 상황이야. 크로켓과 다른 점이 있다면 시간이 갈수록 중심의 온도가 더욱 높아지는 거지. 식지 않고 말이야.

수소 공의 중심 온도가 1000만 K에 이르면 아주 놀라운 일이 벌어져. 아주 복잡한 과정을 거쳐 수소 핵 네 개가 융합해 헬륨 핵 하나가 생겨나는 마법이 일어나는 거지. 물론 이건 마법이 아니라 핵융합이라는 과정인데, 과학자들은 이 과정을 전부 알고 있어.

다 말해 줄까?

아니라고?

그럴 줄 알았어.

자, 계속할게. 수소 공의 중심부에서 수소 핵융합이 일어나면 아주 흥미로운 일이 생겨. 수소 1킬로그램이 융합했을 때 생기는 헬륨은 0.997킬로그램! 이건 좀 이상하잖아? 1+1+1+1=4 라야 맞는 것 아니냐고? 그래, 그 말이 맞아.

그런데 말이지, 핵융합의 묘미는 질량이 사라지는 데 있다는 거야. 핵융합을 열심히 했는데 질량이 그대로면 아무 의미가 없어. 사라진 질량이 바로 빛, 광자가 되기 때문이지. 아인슈타인의 수식을 기억하고 있지? 수식의 질량 자리에 사라진 질량

•── 고치에 싸인 아기별. 수소 공의 중심부에서 생긴 빛은 수십만 년에 걸쳐 우왕좌왕
하지만 결국 거죽을 뚫고 나와 둘러싼 고치를 날려 버리고 찬란하게 빛난다.

을 넣고 빛의 속도를 제곱하면 엄청난 양의 숫자가 나올 거야.
그게 바로 변신한 빛의 양이야. 그러니까 수소 공 중심부에서
사라진 것은 아무것도 없어. 사라진 줄 알았던 질량이 빛으로
변신한 거라고.

　번쩍!

그럼 그 빛이 다시 물질로 바뀔 수도 있냐고? 이런, 빅뱅 모형을 아주 열심히 공부했구나. 빛이 물질로 바뀌는 과정을 기억하고 있다니 대단해. 그런데 여기서는 그런 일이 벌어지지 않아. 마침 1000만 K라는 온도는 핵융합은 가능해도 그 과정에서 생긴 빛을 물질로 바꾸기엔 역부족이거든. 온도가 더 높고 밀도가 더 높아 더 강렬하게 빛이 충돌해야 물질이 생겨나. 수소 공 중심부의 1000만 K는 그러기엔 너무 낮은 것이지.

별의 중심부에서 태어난 빛은 수소 핵, 헬륨 핵과 부딪쳐. 어디로 가야 하는지 생각할 틈도 없이 이리 쿵 저리 쿵 충돌하지. 좌충우돌이란 바로 이럴 때 쓰는 말일 거야.

빛은 단순히 충돌만 일삼는 것은 아니야. 플라즈마 상태의 특징을 잘 생각해 봐. 빛, 광자는 전자들과 만났다 헤어지는 일을 수없이 반복해. 얼마나 오래 이런 일을 하냐고? 광자들은 이런 일을 10만 년에서 100만 년쯤 반복해.

그런데 말이야, 이렇게 좌충우돌을 하다 보니 어느새 중심부를 빠져나와 수소 공의 껍질에 도달했지 뭐야. 드디어 우주 공간으로 직진할 수 있는 기회를 얻은 것이지. 아휴, 정말 오래 걸렸지 뭐야. 쉬운 일이 하나도 없다고.

이제 빛들에겐 수소 공을 벗어나 우주 공간으로 날아가는 일만 남았어. 아무런 방해도 받지 않고 곧바로 나가는 거지. 갈팡질팡하다 태어난 지 100만 년 만에 집을 탈출하는 거야. 정말 신나겠지?

드디어, 수소 공 중심의 온도가 1000만 K가 되는 순간 생겨난 수많은 광자들이 거의 동시에 수소 공을 빠져나와. 이걸 잘 상상해 봐. 어느 날 갑자기 우주에 빛나는 공이 생긴 거야. 저절로 말이야. 여기서 번쩍, 저기서 번쩍, 이게 뭘까?

뭐긴 뭐야, 별이 태어난 거지. 드디어 우주에 별이 태어났어.

우주의 나이 3억 년 무렵, 아무런 재미도 없이 지루하기만 하던 이 공간에 별이 하나둘 생겨났어. 아기별들이 태어나고 있는 우주를 상상해 봐.

별 볼 일이 생기는 것 맞지?

가늘고 기일-게

　내 인생을 좌우하는 가장 중대한 요소는 무엇일까? 부모, 성별, 형제, 재산, 교육받은 정도, 국적 등 한 사람의 인생을 좌우하는 요소는 딱 하나만 꼬집어 말하기 무척 어려워. 너무나 많은 것들이 복잡하게 얽혀 있는 것이 인생이니 말이야.

　그런데 별은 조금 달라. 별의 일생을 좌우하는 요소 역시 여러 개가 있겠지만 가장 중요한 것은 질량이야. 이런 사실을 두고 과학자들은 이렇게 말해.

　"별의 가장 중요한 물리량은 질량이다!"

　별은 태어나는 그 순간 질량에 따라 일생이 정해져. 질량을 알면 어떤 생을 살지 예측할 수 있다 그 말이지. 별의 중심에서 수소 핵융합이 일어나 빛을 생산하는 시기를 주계열 단계라고 하는데, 태어날 때의 질량에 따라 얼마나 오래 주계열 단계에 머무르는지 정확하게 알 수 있어. 뿐만 아니라 별의 밝기는 얼마나 될지, 표면 온도는 몇 도나 될지도 다 알 수 있어. 그리고 어떻게 죽는지까지도 알지. 아, 사람도 이러면 얼마나 좋아? 무슨 일이 생길지 안절부절 안 해도 되잖아. 물론 재미가 없기는 하겠지만 말이야.

별도 나름대로 질량에 따라 사는 모습이 조금 다르기는 해. 태양 질량의 2배보다 작은 가벼운 별, 태양 질량의 2배에서 8배 사이에 이르는 중간별, 태양의 질량보다 8배 이상인 무거운 별은 사는 모습이 조금씩 달라. 이제부터 그 이야기를 해 줄게.

방금 전에 이야기한 대로 태양은 가벼운 별이야. 위로가 되는 말을 하자면 그래도 우주에는 태양만 한 별이나 태양보다 작은 별이 조금 더 많아. 태양이 크고 무겁지 않아 실망했니? 실망하지 마. 태양이 큰 별이 아니라서 우리가 이렇게 잘 살고 있는 거니까.

태양의 수명은 얼추 110억 년이야. 그 가운데 100억 년 동안 주계열 단계에 있을 수 있어. 수소 핵융합을 통해 빛과 열을 생산하는 시기가 100억 년이나 된다는 뜻이지. 이 시기는 별들의 일생에서 가장 안정된 시기로 주변에 있는 행성들이 탈 없이 잘 지낼 수 있는 시기이기도 해. 태양은 46억 년 전에 태어났고 그

동안 안정적으로 빛과 열을 지구에 보내주었어. 태양에서 오는 빛과 열 덕분에 지구의 바다에서 생명체가 생겨났고 그 생명체가 진화에 진화를 거듭해 오늘날 우리가 있는 거야.

만약 태양이 지금보다 몇 배쯤 크게 태어나 주계열 단계에 30억 년만 머무르는 별이었다면 지구에 인간은커녕 공룡이나 상어도 생기지 못했을 거야. 충분한 시간이 없었던 거지. 별은 무겁게 태어나면 주계열 단계에 머무는 시간이 줄어들거든. 수명이 짧아지는 거지. 태양보다 8배 이상 큰 무거운 별 중에는 주계열 단계에 몇천만 년밖에 머물지 못하는 것들도 있어. 이런 별의 행성에는 단세포 생물조차 생길 수 없어. 역시 시간이 충분치 않기 때문이지.

자, 그리 크지 않은 태양에게 박수를!

이제 궁금한 건 주계열 단계가 끝나면 어떻게 되느냐는 거야. 다시 말해 태양의 노년과 죽음은 어떤 모습일까?

100억 년에 이르는 주계열 단계를 거치는 동안 태양의 중심부에는 헬륨이 쌓여. 수소 핵융합으로 생겨난 헬륨이 중심으로 가라앉는 거지. 여기서 가라앉는다는 말이 이상하게 들릴지 몰라도 내가 태양 어느 부분에 있든지 헬륨은 중심으로 떨어질 것이므로 가라앉는다는 표현이 틀린 것은 아니야. 바다에 빠져 가라앉으면 우리는 지구 중심을 향해 가라앉는 거나 마찬가지잖아. 그것과 같은 거야.

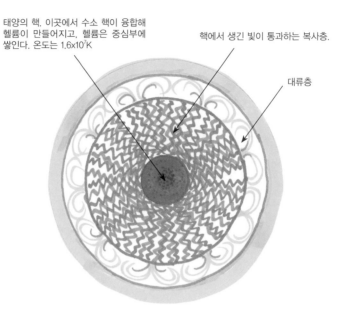

태양의 핵. 이곳에서 수소 핵이 융합해 헬륨이 만들어지고, 헬륨은 중심부에 쌓인다. 온도는 1.6×10^7 K

핵에서 생긴 빛이 통과하는 복사층.

대류층

●── 찹쌀떡 태양, 아니, 태양의 구조!

태양의 중심에는 수소 대신 헬륨이 그득 쌓여 있으니 태양이 더 빛을 내고 싶다면 헬륨 핵융합을 시작해야 해. 헬륨의 핵이 탄소처럼 더 큰 원자핵으로 융합되면서 남는 질량을 빛으로 만드는 거지. 그러나 안타깝게도 100억 살 먹은 태양은 그럴 수 없어. 그러기엔 중심부의 온도가 너무 낮아. 헬륨이 융합하려면 1000만 K가 아니라 1억 K가 필요해.

아무튼 중심의 온도를 1억 K로 올리려면 물질이 더 많아야 해. 그래서 더 강한 중력을 발휘해야만 더 많은 물질을 끌어당길 수 있는 것이지. 만약 거대한 칼이 있어서 이때의 태양을 반으로 자른다면 가운데에 팥이 든 찹쌀떡 같은 모양일 거야. 가운데 있는 팥은 헬륨 핵이고, 둘러싸고 있는 찹쌀떡은 수소인 거지. 수소가 외곽으로 밀려나는 이유는 헬륨보다 가벼워서야. 가벼운 것이 뜨는 건 당연하잖아.

이런 가운데 수소 껍질과 헬륨 핵의 경계에서는 여전히 핵융합을 해서 빛이 나와. 빛이 태양의 중심에서 만들어지는 것이 아니라 핵의 경계 부분에서 만들어지는 거야. 그리고 이때 만들어진 헬륨은 중심으로 떨어져. 수소 껍질은 빛을 만들면서 점점 퍼져 나가. 이건 기분 좋게 흥분하면 마구 날뛰는 거랑 비슷한 상황이야.

태양은 점점 부풀어 커지면서 더 밝아져. 그래서 멀리서 보면 거대한 붉은색 별로 보이지. 이 단계를 적색거성이라고 해. 태양이 적색거성 단계에 돌입하면, 주계열 단계일 때 5400K이던 표면 온도는 3000K로 낮아져.

적색거성 단계가 지속되는 동안 헬륨을 둘러싸고 있는 수소 층에서는 쉬지 않고 헬륨을 만들어 중심으로 떨어트려. 그러다 헬륨이 충분히 쌓여 태양 중심의 온도가 1억 K가 되면 드디어 헬륨이 융합해 탄소를 만들지. 헬륨 세 개가 융합하면 탄소가 생겨나는데, 헬륨 세 개의 질량과 탄소의 질량은 같지 않아.

탄소의 질량이 조금 작지. 이제 이것이 무슨 소리인 줄 알겠지? 줄어든 질량은 사라진 것이 아니라 빛이 되어 태양이 제2의 인생을 살도록 해 줘. 태양은 다시 한 번 중심 깊숙한 곳에서 빛을 만들어 우주에 뿌릴 수 있게 되었어. 제2의 인생이 시작된 거야.

하지만 제2의 인생은 그리 길지 않아. 겨우 1억 년 남짓. 수소 융합으로 100억 년을 버틴 걸 생각하면 1억 년은 너무 짧은 시간이지 뭐야. 태양의 중심부엔 이제 탄소가 쌓이고 그 위에 헬륨이, 또 그 위에 아직 타지 않은 수소가 한겹 한겹 싸고 있어. 세 겹 찹쌀떡이 된 셈이지.

이제 탄소를 태우려면 중심의 온도가 6억 K까지 올라가야 해. 그러나 태양은 아무리 애를 써도 이렇게 높은 온도를 만들 수 없어. 이 정도로 높은 온도를 만들려면 태양은 좀 더 무겁게 태어났어야 해. 가벼워서 아무리 애를 써도 핵을 수축할 수 있는 중력이 생기질 않는 것이지.

태양이 할 수 있는 건 여기까지! 태양에게 제3의 인생은 없어.

상황이 이렇게 되면 태양은 갑자기 더 부풀어 오르고 태양에서 터져 나오는 태양풍이 지구에까지 닿아. 지구는 진즉부터 표면 온도가 1000K에 이르러 바닷물이 끓어 사라지고 거의 모든 생물체는 통구이가 되어 사라진 뒤야. 말 그대로 죽음의 행성이 된 것이지.

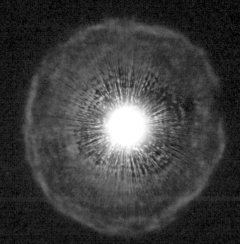

•—— 거성 단계에 돌입해 부풀고 있는 별. 기린자리에서 발견.

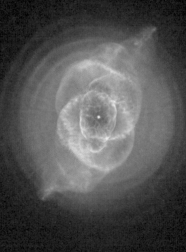

•—— 태양만 한 별의 죽음. 고양이 눈이라 불리는 이 행성
상 성운은 태양만 한 질량을 가진 별이 죽어 가는 모습을
보여 준다. 가운데 있는 작고 하얀 점은 백색왜성으로 한때
태양처럼 빛났던 별이고, 사방으로 퍼져 나가는 가스층은
이 백색왜성을 둘러싸고 있던 대기였다. 별도 나이가 들면
기운이 빠진다. 대기를 잃은 백색왜성은 더 이상 핵융합을
하지 못하고 조용히 식어 간다.

태양을 이루고 있던 물질은 이 태양풍으로 우주에 퍼져 나가 별 사이를 채우는 물질이 돼. 만약 이때까지 지구가 부서지지 않고 남아 있다면, 또 인류가 잘 버티고 있다면 정말 엄청난 광경을 보게 될 거야. 지구가 서서히 태양에게 먹히는 장면 그 자체가 되는 거지. 물론 그 전에 지구를 떠나야 하겠지만 말이야.

지구에 있지 않고 아주 멀리 떨어진 다른 별에 있다면 이 장면이 그리 무서운 것만은 아니야. 오히려 아름답기까지 해. 사실 우리는 이미 이런 장면을 보고 있어. 허블 우주망원경이 찍은 사진 중에는 이처럼 죽어 가며 마지막 숨을 내쉬는 태양 같은 별의 사진이 아주 많이 있어. 이것이 별의 마지막 순간이라는 걸 몰랐던 옛날 사람들은 마치 행성처럼 보인다고 해서 '행성상 성운'이라고 이름을 붙였어.

자, 사진을 볼까.

어때 아름답지? 이것이 태양만 한 별의 죽음이야.

행성상 성운의 가운데에는 아주 작은 백색왜성이 남아 있어. 제3의 인생을 살지 못하고 그대로 식어 가는 태양만 한 별의 중심핵이야. 얼추 60억 년 후 태양의 모습이지.

굵-고 짧게

태양의 최후를 듣고 나니 힘이 좀 빠지지? 하지만 걱정 마. 이건 60억 년 후에나 일어날 일이라고. 우리 후손들은 그 전에 지구를 탈출해 다른 별의 행성으로 이주했을 수도 있어. 반대로 인류가 멸종했을 수도 있고 말이야. 그것도 걱정할 필요 없어. 왜냐?

쥐라기 시대 말 소행성의 충돌에도 불구하고 살아남은 포유류가 우리 선조인 것은 알고 있지? 작은 설치류인 포유류가 인간으로 진화하는 데 겨우 6500만 년밖에 걸리지 않았어. 혹시 인간이 지금 멸종한다 하더라도 6500만 년 후에는 우리 같은 지적인 생명체가 나타날 거야. 태양은 주계열 단계에서 50억 년이나 더 살아 있을 예정이니 지적인 생명체가 77번 나타날 기회가 있는 것이지. 물론 그때마다 모습이나 사고방식이 오늘날 인류와 같다고는 볼 수 없겠지. 그래도 정말 흥미롭지 않아? 우리와 다른 지적인 생명체는 어떤 모습일까?

이런 재미난 상상을 하고 있다면, 어디선가 번득 물음표가 생길 수밖에 없어.

"우리 몸을 이루고 있는 탄소, 산소, 질소, 인, 철은 어디에서 생겨났을까?"

빅뱅 이후 우주에서 저절로 만들어진 것은 수소와 헬륨, 약간의 리튬 정도이고, 태양만 한 별 속에서 탄소까지는 생겼다는 걸 이제 잘 알 거야. 그렇다면 탄소보다 더 무거운 산소, 질소, 인, 철을 비롯해 우라늄, 금 같은 무거운 원소들은 대체 어디서 생겨난 것일까? 이제부터 그 이야기를 해 볼게.

우주에는 태양보다 8배 이상 무거운 별들이 있어. 사실 무거운 별들의 일생도 가벼운 별들의 일생과 많이 다르지 않아. 수소 핵융합이 일어나 헬륨을 만들고, 헬륨 핵융합이 일어나 탄소가 만들어지는 과정은 결과만 놓고 본다면 거의 비슷해. 다른 점이 있다면 이 과정이 훨씬 빠른 속도로 일어난다는 거야.

예를 들어, 태양보다 25배 정도 무거운 별은 태양보다 훨씬 빠르게 중심의 온도가 올라가고 더 높이 올라가. 무거운 별들은 엄청나게 많은 물질이 모인 덕분에 희귀한 탄소와 질소를 가지고 있어. 그리고 탄소와 질소가 핵융합에 가세하면서 수소가 헬륨으로 바뀌는 과정이 엄청 빠르게 일어나지. 조력자가 있는 셈이야. 그 결과 태양이 100억 년에 걸쳐 해내는 일을 몇백만 년 안에 해치우고 말지. 잘 생각해 봐. 100억은 1 뒤에 0이 10개나 붙고, 100만은 6개 붙어. 그러니 단순한 계산으로도 이 별은 같은 시간에 태양보다 만 배나 많은 에너지를 내놓는다는 것을 알 수 있지. 정말 굵고 짧게 사는 거야.

수소를 거의 다 태우면 헬륨으로 구성된 별의 중심부는 헬륨이 융합할 수 있을 때까지 수축해. 온도를 높이려는 거지. 사실 수축은 별이 의지가 있어서 그런 것이 아니라, 수소보다 무거운 헬륨이 중심에 모이니 절로 더 강한 중력이 생겨나 중력수축하는 거야. 중력수축이란 말 그대로 주변의 물질들이 중력중심을 향해 떨어지며 모여드는 것이야. 별 중심의 온도가 1억 K에 이르면 헬륨 핵융합이 일어나. 헬륨 핵융합의 결과 탄소가 생기고, 이번에는 탄소가 중심에 모여. 헬륨보다 탄소가 더 무거우니까.

탄소가 융합을 하려면 6억 K 이상이 되어야 해. 그러려면 별의 중심부는 더욱 수축해야 하지. 그러다 드디어 6억 K가 되면 이번에는 탄소가 핵융합을 해서 산소가 생겨나. 그리고 중심에는 산소로 이루어진 핵이 생겨나지. 태양의 일생을 떠올려보면 알겠지만 태양은 이 단계에 도달할 수 없어서 제3의 인생을 살 수 없었어. 하지만 태양보다 25배나 무거운 별은 가볍게 이 일

●── 볼프-레이에 별. 젊을 때 태양보다 20배 이상 무거웠던 별이 나이가 들었을 때 볼프-레이에 별이 될 수도 있다. 이 별의 특징은 어마어마한 양의 물질을 우주 공간으로 날려 버린다는 점. 수소로 이루어진 바깥층을 모두 날려 버리기도 한다. 한마디로 화끈한 상태에 있는 별. 블랙홀이 되려고 준비하는 단계일 것이라 보기도 한다.

을 해내지.

자, 이제 '별은 다시 수축하고 산소 핵융합을 한 뒤에 빛을 만

들어.

지금까지 이야기를 들어 보면 별은 아주 간단한 일을 하는 것처럼 들리지만 실은 일이 이렇게 간단하게 벌어지지는 않아. 그 복잡한 일을 미주알고주알 다 말해 버리면 모두 도망갈 것이 뻔한데, 그럴 수는 없지. 아주 간단하게 한마디 더 붙이자면 탄소가 핵융합을 해 산소가 생기고, 산소가 지나가던 헬륨 핵을 잡아채서 네온이 생기고, 마그네슘이 생기고, 산소와 탄소가 융합해 규소가 생기고, 산소 두 개가 융합해 황이 생기고, 규소가 두 개 융합해서 철이 생겨.

어때 간단하지?

이 모든 과정이 이루어지는 동안 큰 별은 수축과 빛나기를 반복해. 아주 변화무쌍하지.

그런데 말이야, 아무리 큰 별이라도 별의 몸속에서 원소가 만들어지는 것은 여기까지야. 철이 만들어지는 때까지라는 거지. 지금까지 별은 수소 핵융합부터 시작해 다음 원소를 만들 때마다 남는 질량을 빛과 에너지로 전환해 빛나 왔어. 그런데 철이 생기면 이런 일은 더 이상 할 수 없어. 핵융합을 통해 철보다 무거운 원소를 만들려면 에너지를 더해 주어야 해. 잉여 질량이 생기는 것이 아니라 질량을 더해 주어야 한다는 뜻이지. 별은 그런 일은 할 수 없어.

그러니 별의 몸속에서 철이 생겼다는 것은 이제 더 이상 핵융합을 통해 빛을 낼 수 없다는 뜻이야. 별의 정의는 핵융합을 통

해 스스로 빛과 열을 내는 천체인데 이제 그런 일이 불가능해진
거지. 안타깝지만 일생의 끝에 왔다고 봐야 해.

그렇다면 여전히 의문이 남아.

철보다 무거운 원소는 대체 어디서 만들어지는 걸까?

그 의문을 해결하려면 무거운 별의 최후에 대해 알아야 해.
자, 이제 태양과는 전혀 다른 죽음을 맞이하는 무거운 별의 최
후에 대해 이야기해 줄게.

최후를 강렬히

 커다란 칼이 있어서 태양보다 25배 무거운 별을 반으로 자를 수 있다면, 양파처럼 여러 겹으로 이루어진 내부를 볼 수 있을 거야. 가장 중심에는 철이 모여 있고 그것을 둘러싸고 규소, 산소, 탄소, 헬륨, 수소 층이 한 겹씩 싸고 있는 거지.

 우리가 집중적으로 봐야 할 곳은 중심에 있는, 철로 이루어진 부분이야. 철 원자는 원자핵과 그 주변을 어슬렁거리는 전자들로 이루어져 있는데, 전자들은 같은 자리에 두 개가 있을 수 없어. 누가 그렇게 정했는지는 몰라도 전자들은 절대 둘이 붙어서 다닐 수 없는 것이지. 또 전자들은 양성자와 중성자로 구성된 핵과는 적당한 거리를 두고 다녀야 해. 그러니 절대 만날 일

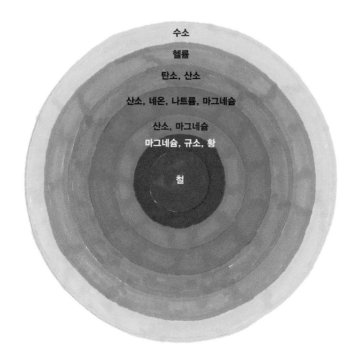

수소

헬륨

탄소, 산소

산소, 네온, 나트륨, 마그네슘

산소, 마그네슘
마그네슘, 규소, 황

철

●── 양파 껍질을 벗기듯 별의 중심까지 하나하나 벗겨 보자.

이 없어.

　그런데 말이야, 철로 이루어진 중심핵의 질량이 태양 정도 되면 아주 놀랄 일이 벌어져. 별의 중심에서 너무나 큰 중력이 생겨나기 때문에 전자가 원자핵에 있는 양성자와 합쳐져 모두 중성자가 되어 버리는 거야.

여기서 원자의 구조에 대해 잘 모르는 사람이 있을까 봐 이야기해 두는데, 원자핵과 전자는 어마어마하게 멀리 떨어져 있기 때문에 철 원자라 할지라도 대부분 비어 있다고 보는 것이 옳아. 우리도 원자로 이루어져 있는데, 원자를 볼 수 있는 눈으로 보면 우리는 구멍투성이 물질인 셈이지. 철로 이루어진 태양만 한 별의 중심핵도 원자핵과 전자 사이가 멀어서 구멍이 숭숭 뚫려 있고 말이야. 그런데 이 구멍이 싹 사라지는 거야. 전자가 원자핵에 철썩 들러붙는 바람에 말이지.

자, 그럼 별 중심핵의 크기가 어떻게 될까? 철로 이루어진 중심핵은 갑자기 지구만 한 크기로 줄어들어. 지름이 100분의 1보다 작아지는 거야. 이 일은 눈 깜짝할 사이보다 더 빠르게 일어나. 그리고 동시에 어마어마한 에너지가 밖으로 터져 나와 철 중심을 둘러싸고 있던 여러 겹의 껍질을 사방으로 날려 버리지. 수소, 헬륨, 탄소, 산소, 규소 등으로 이루어진 껍질을 온 사방으로 날려 보내는 거야.

대폭발을 일으키는 거라고!

이때 폭발이 얼마나 강력하냐면 태양이 100억 년 동안 만드는 빛의 100배에 달하는 에너지를 한순간에 날려 버려. 정말 어마어마한 양이지 뭐야. 이것이 바로 초신성 폭발이야.

초신성 폭발은 매우 중요해. 왜냐하면 별의 몸속에서 만들지

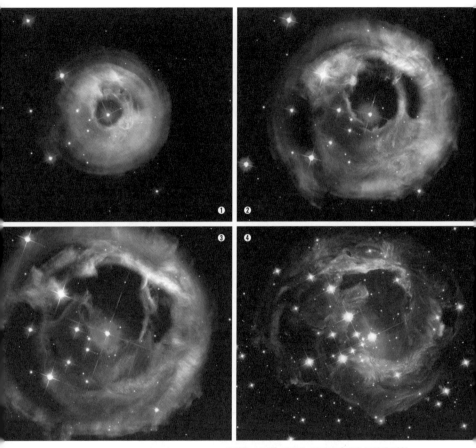

●—— 폭발을 시작한 거대별. 발견부터 3년 동안의 변화.

못했던 무거운 원소들이 바로 이 순간 생겨나기 때문이야. 금,
은을 비롯해 우리가 알고 있는 각종 무거운 원소들은 폭발하는

•——— 시간이 지날수록 우주에는 더 많은 블랙홀이 생길 것이다. 그렇다면 남는 건?

순간 생겨 온 우주로 퍼져 나가. 그리고 그 원소들이 수소 구름에 섞여 다음 세대 별을 만들 준비를 하지. 우리는 이렇게 큰 별이 최후의 순간에 우주로 뿌린 잔해들 속에서 태어났어. 이 잔해들이 없었다면 지구상에 있는 모든 물질은 존재할 수 없었을 거야.

초신성이 폭발하고 난 다음 중심에 있던 지구만 한 중성자 덩어리는 중성자별로 남아 예전에 태양보다 25배 큰 별이 있었음을 알려 주지. 만약 이 중성자별이 태양보다 1.44배 무겁다면 중성자별은 조금 더 수축해. 중성자 덩어리를 더 수축할 수 있을 만큼 중력이 센 것이지. 중성자별은 결국 스스로를 주체할 수 없어 찌부러지고 모든 것을 흡수하는 블랙홀이 되고 말아. 당연한 말이지만 우주에는 블랙홀이 아주 많아. 다만 우리 눈에 보이지 않을 뿐이지.

또 당연한 말이지만 시간이 지날수록 우주에는 블랙홀이 더욱 많아질 거야. 밤하늘에 빛나는 수많은 무거운 별들 가운데 태양보다 30~40배 이상 무거운 것들은 결국 블랙홀이 되어 남을 테니까.

모여서 살까?

우주의 시간이 흘러 흘러 10억 년쯤 지났을 때 은하가 생겨났어. 사실 은하의 탄생은 입자 시대부터 차곡차곡 진행되었다고 보아야 옳을 거야. 우주에 첫 별이 태어나던 빅뱅 이후 3억 년 무렵, 별들은 아무 곳에서나 막 태어나지 않았거든. 별이 태어나려면 수소와 헬륨 가스가 다른 곳보다 많이 모여 있는 밀도가 높은 곳이 필요해. 밀도가 주변보다 조금이라도 높아야 그곳의 중력이 주변보다 클 것이고, 그래야 주변에 있는 물질이 모이고 모여 나중에 별이 될 테니 말이야. 온 우주에 수소와 헬륨이 균질하게 퍼져 있어 중력의 차이가 나타나지 않으면 어느 곳에서도 별이 태어날 수 없어.

다행히 우주는 가스의 밀도가 높은 곳과 그렇지 않은 곳이 적절하게 분포되어 있었어. 이제부터 우주의 역사를 찍는 영화감독이 되어 줌인 줌아웃 하면서 촬영을 한다고 상상해 볼래. 어느 한 점에 서서 아무 곳이나 촬영을 시작해 보자. 저 멀리 가스 덩어리가 보이면 카메라를 줌인. 이건 휴대폰 액정에 두 손가락을 대고 벌려서 더욱 확대해서 보이도록 하는 것과 같아. 가스 덩어리를 확대해서 보면 처음에는 한 덩어리인 줄 알았던 가스가 그 안에서도 밀도가 큰 곳과 작은 곳이 있다는 것을 알 수 있을 거야. 조금 더 줌인 해서 들어가면 또다시 밀도가 크고 작은 덩어리로 나누어져 있는 것을 볼 수 있지.

우리가 아무 곳에나 카메라를 대고 찍었던 최초의 가스 덩어리는 사실은 별을 천억 개 또는 수억 개나 만들 수 있는 커다란 덩어리였던 거야. 그리고 그 안에 있는 작은 덩어리들은 당연히 별이 되는 거지.

자, 이제 카메라를 줌아웃해서 가스 덩어리 밖으로 나와 볼까. 알고 보면 이 가스 덩어리는 아무 의미 없는 가스가 아니라 장차 별이 될 씨앗들을 품은 멋진 가스인 거야. 그리고 내가 있는 곳에서 발걸음을 뒤로 뒤로 옮기며 화면을 보면 우주는 온통 이런 가스들로 채워져 있다는 것을 알 수 있지.

물질은 우주에 불균일하게 깔려 있었기 때문에 그중에 특히 밀도가 높은 곳을 중심으로 별이 무더기로 생겨났고, 그런 별 무더기가 또 여기저기 모여 있었어.

●—— 무리 지어 태어나는 별들.

　태양보다 수십 배씩 무거운 별들은 맹렬히 타올라 불같은 삶을 살면서 우주를 밝히지만 수명이 매우 짧아. 그들은 살아 있는 동안 몸 안에서 헬륨, 탄소, 산소, 리튬, 철 등을 만들었고 대폭발을 일으키며 죽었지. 하지만 죽는 바로 그 짧은 폭발의 시간 동안 전에 없던 새로운 물질을 만들어 우주에 뿌렸어. 금, 은처럼 무거운 원소를 말이야. 정말 대단하지 않아?

　다음 세대 별들은 이전에는 없던 물질들의 잔해 속에서 태어났어. 그러니 전 세대 별들과는 태어난 환경도 다르고 삶도 달라. 그건 당연한 거야. 다음 세대의 어린별은 부모별이 있던 자리에서 그리 멀지 않은 곳에서 태어났어. 그러는 사이 별들 사이에도 중력이 작용해 별의 무리가 서서히 커지면서 천억 개쯤 무리를 이룬 은하가 서서히 제 모습을 갖추어 갔어. 그리고 우주의 나이 10억 년이 될 무렵 우주에는 거대한 별무리인 은하들이 웅장한 모습을 뽐내며 나타난 거지.

빅뱅 이후 10억 년 무렵 은하 시대의 막이 올랐고 지금까지 지속되고 있어. 우리는 지금 은하 시대에 살고 있는 거야. 그사이 은하의 구성원인 별과 그 별을 공전하는 행성에는 실로 놀라운 일이 벌어졌어. 먼저 살다 간 무거운 별들이 만들어 뿌린 다양한 원소를 기반으로 생명체가 생겨난 거야. 38억 년 전 우리 은하에 있는 태양계의 세 번째 행성에서 스스로 영양분을 찾고 다음 세대를 생산하는 생명체 말이야. 우리는 바로 그 놀라운 생명체의 후손이자, 이 우주에서 적어도 한 행성에서 생겨나 지금까지 잘 적응해서 살아오고 있다는 걸 보여 주는 산 증거인 셈이지.

이 우주에는 이루 말할 수 없이 많은 별과 그것을 도는 행성이 있으므로 지구에서 벌어진 일이 다른 행성에서도 충분히 일어날 수 있어. 지금 이 순간에도 수많은 천문학자들이 그 증거를 찾으려고 밤하늘을 샅샅이 훑어보고 있단다.

인테리어 백지는 우주배경복사

우리는 지금까지 빅뱅 이후 은하가 형성되는 시기까지 숨 가쁘게 달려왔어. 지금까지 설명한 이야기들을 제대로 이해하기란 쉽지 않아. 우주의 역사 초기를 설명하는 빅뱅 모형은 이 연구에만 평생을 쏟은 사람들이 해낸 연구결과를 집대성한 거야. 그러니 그걸 이해하기 힘든 건 당연해.

어떤 사람들은 "네가 알고 있는 것을 할머니나 어린아이에게 이해할 수 있도록 설명하지 못한다면 제대로 알고 있는 것이 아니다"라고 이야기하곤 하는데, 이건 반만 맞고 반은 틀린 말이야. 아무리 쉽게 풀어도 쉬워지지 않는 것들이 있어. 앞선 연구를 차곡차곡 밟아 가지 않으면 이해하기 어려운 개념들이 있단 말이지. 우주의 역사를 연구하는 우주론이 그런 분야 가운데 하나야. 우리는 감각으로 느끼지 못할 크기와 온도를 상상해야 하고 눈으로 보지 못할 세계를 머릿속에서 구성해야 해. 이런 일을 누구나 다 쉽게 할 수 있는 것은 아니야.

자, 그럼 숨을 한번 고르고 다시 빅뱅 이론에 대해 이야기해 볼까.

과학계에서 어떤 모형이 지지를 받으려면 우선 현재까지 관측한 사실들을 잘 설명할 수 있어야 해. 만약 과학 모형이 진실에 가까우면 지금까지 관측한 사실을 설명하는 것에서 더 나아가 새로운 예측을 할 수도 있는 것이지.

어떤 경우 새로운 관측 사실이 나타나 과학 모형의 위치를 불완전하게 만들 수도 있는데, 이런 일은 자주 일어나므로 하나도 이상한 일이 아니야. 과학자들은 자신이 주장하는 모형이 불완전하다면 모형을 보완하기 위해 연구를 하고, 아무리 보완해도 안 될 것 같으면 폐기하고 다른 모형을 만들어. 이런 예는 어렵지 않게 찾아볼 수 있어. 가장 잘 알려진 것은 천동설이 지동설로 바뀐 것이야. 옛날에는 하늘이 돈다고 믿고 있었는데 관측기기가 발전하고 천구의 운동을 연구할수록 하늘이 도는 것이 아니라 지구가 돌고 있다는 증거가 쌓이면서 천동설은 무너질 수밖에 없었지.

사실 우주 초기의 역사를 설명하는 모형으로는 빅뱅 모형만 있었던 것이 아니야. 1940년대에는 '정상 상태 모형'이라는 것이 있었어. 정상 상태 우주론이라고도 불리는 이 모형은 우주가 팽창하는 것은 맞지만 빅뱅이 있었다는 것을 부정했어. 우주가 어떻게 한 점의 폭발로 생길 수 있느냐는 것이 정상 상태 우주론자들의 생각이었는데, '빅뱅'이라는 용어도 정상 상태 우주론자들이 폭발을 비웃으면서 한 말에서 유래했어. 어쩐지 '빅뱅'이라는 용어는 과학자들이 진지한 상태에서 생각해 낼 만한 말은 아닌 것 같지? 유래가 어찌 되었든 팽창하는 우주 모형은 빅뱅 모형으로 이름이 바뀌어 사람들에게 알려졌지.

정상 상태 모형에서는 우주가 무한히 오래되었다고 가정해. 시작이 없었다는 것이지. 대신 우주가 팽창하면서 생기는 공간에 끊임없이 새로운 물질들이 생겨나 새로운 은하가 형성된다고 주장했어. 정상 상태 모형이 옳은 것이라면 우리 주변에 나이가 어린 은하가 발견되어야만 해. 그러나 열심히 관측을 해 보니 멀리 있는 은하일수록 나이가 젊고 우리 주변에 있는 은하들은 우리은하처럼 나이 든 은하뿐이었지. 그래서 우주가 팽창하면서 늘어난 공간 곳곳에 새 은하가 생긴다는 주장을 증명할 수 없었어.

정상 상태 모형이 증명할 수 없었던 관측 증거는 바로 우주배경복사야. 지금 이 순간에도 온 우주에서 날아들어 누구나 관측할 수 있는 우주배경복사를 설명할 방법이 없었어. 그래서 과학자들은 정상 상태 모형에서 등을 돌리고 모두 빅뱅 모형으로 달려갔지. 빅뱅 모형이 과학자들로부터 열렬한 지지를 받는 이유는 이를 뒷받침할 증거가 여럿 있기 때문인데, 그 가운데 가장 강력한 것이 우주배경복사야.

우주배경복사가 뭐냐고? 지금부터 설명해 줄게.

우주배경복사란 말 그대로 우주에 배경처럼 깔려 있어서 어느 방향을 보든 다 찾을 수 있는 빛이라는 뜻이야. 우주의 바탕 화면이라고나 할까! 우주의 역사 38만 년 무렵 입자들의 사이가 넉넉하게 벌어져 아무런 방해 없이 제 길을 가던 바로 그 광자들이 우주배경복사야.

우주에서 오는 빛 가운데 별, 은하를 포함해 우리가 식별해 낼 수 있는 빛을 모두 거둬 버리고 나면 아무런 빛도 없이 깜깜해야만 해. 그러나 천문학자들이 아무리 빛을 거둬 내도 여전히 남아 있는 빛이 있었어. 과학자들은 그 광자들을 모아다 파장별로 줄을 세웠어. 그랬더니 파장이 1.1밀리미터인 곳에 가장 많은 광자들이 모여 봉우리를 이루지 뭐야. 이것은 우주의 온도가 1.1밀리미터 파장으로 대표할 수 있는 2.73K라는 뜻이야. 절대온도의 0도는 섭씨온도로 −273도이니, 현재 우주의 온도는 얼추 영하 270도라는 뜻이기도 하지. 우주는 정말이지 춥고 고독해!

그런데 말이야, 지금까지 잘 따라온 독자라면 당연히 의심이 들 거야. 아니, 우주의 나이 38만 년일 때 우주의 온도는

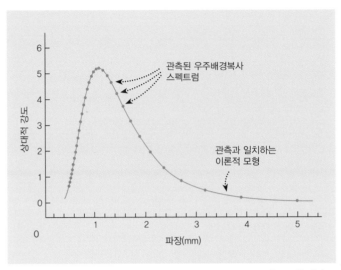

그래프 내 텍스트:

6
5
4
3
2
1
0

상대적 강도

관측된 우주배경복사
스펙트럼

관측과 일치하는
이론적 모형

1   2   3   4   5

0

파장(mm)

● —— 마치 드레스를 끌고 가는 듯한 이건 무
엇? 나사의 코비 위성에 의해 검출된 우주배경
복사 스펙트럼이다. 2.73K에 맞게 이론적으로
계산된 열복사 스펙트럼(실선)이 관측된 값(점)
과 일치한다.

3000K라고 하지 않았나? 당시 자유를 얻어 제 갈 길을 갔던 광
자들이 3000K 표식을 달고 있다고, 그래서 익명성이 보장되지
않는다고 하지 않았나? 그런데 2.73K라니, 이건 무슨 소리지?

맞아, 맞아. 그것도 설명해 줄게.

당시 광자들을 파장에 따라 줄을 세우면 1000나노미터에 가
장 많은 광자들이 모여 있었어. 그 파장이 바로 3000K를 대변
하는 파장이었던 거지. 그러나 138억 년 동안 우주는 쉬지 않

고 팽창해 1000배가량 커졌어. 당시 자유를 얻은 광자들은 고무판에 그려진 화살표 같은 신세였고 우주가 팽창하면서 광자의 파장이 양쪽에서 잡아당긴 것처럼 늘어났어. 얼마나 늘어났을까? 당연히 공간이 늘어난 만큼 1000배 늘어났지.

3000K를 대표하던 1000나노미터 광자들은 1000배 긴 1밀리미터 파장의 광자가 된 거야. 1000나노미터보다 조금 길거나 조금 짧은 파장의 광자들도 똑같이 1000배 뻥튀기 되었어. 당연한 말이지만 우주의 온도는 1000분의 1만큼 낮아졌지. 그리하여 오늘날 잡아낸 우주배경복사를 파장별로 점 찍으면 기다란 드레스를 끌고 가는 모양이 나타나고, 드레스 입은 사람의 머리 부분이 2.73K에 딱 맞는 훌륭한 복사 스펙트럼을 그릴 수 있어.

빅뱅 모형을 연구하는 사람들은 우주배경복사가 발견되기 전부터 이것이 발견되리라 예견하고 있었어. 그러나 당시에는 그것을 발견할 기술이 부족했어. 시간이 흐르고 관측기기와 분석 기술이 좋아지면서 우주배경복사는 진짜로 발견되었어. 그래서 오늘날 많은 과학자들이 변함없이 빅뱅 모형을 지지하고 있는 거란다.

• —— 어느 곳을 보든 우주의 나이 38만 년일 때 자유를 얻은 마이크로파를 만날 수 있다. 그래서 그들을 우주배경복사라 부른다.

드레스 코드는 신의 얼굴

1940년대에 조지 가모브(George Gamow)와 그의 학생이었던 앨퍼(Ralph Alpher)와 허먼(Robert C. Herman)은 우주가 빅뱅으로 생겨났다면 반드시 우주배경복사를 찾을 수 있을 것이라 예측했어. 그러나 이들의 예측은 비웃음의 대상이 되었고 앨퍼와 허먼은 동료들의 수모를 이기지 못한 채 천문학계를 떠나 전혀 다른 분야에서 일할 수밖에 없었어. 정말 안타까운 일이지만 그때는 그랬어.

20여 년이 흐른 1960년대에 미국 뉴저지에 있는 벨연구소에서 펜지어스(Arno Penzias)와 윌슨(Robert Wilson)은 위성통신의 품질을 개선하려고 매우 성능이 좋은 극초단파 안테나를 만들어 보정작업을 하고 있었어. 그러나 그들은 아무리 애를 써도 하늘에서 날아오는 잡음을 지울 수 없었어. 잡음의 원인이 비둘기라고 생각한 두 사람은 비둘기를 잡아 다른 곳으로 보내는 등 할 수 있는 일을 다 했지만 도저히 잡음을 지울 수가 없었지. 그래서 낙심하고 있었어.

한편 그 근처에 있던 프린스턴 대학에서는 한 무리의 연구진이 과거 앨퍼와 허먼이 했던 것과 비슷한 계산을 하고 있었어. 그리고 벨연구소에 있는 두 물리학자가 하늘에서 날아오는 지울 수 없는 신호에 대해 고민하고 있다는 사실을 알았지.

이론을 연구하던 프린스턴의 과학자들은 수소문 끝에 벨연구소의 과학자들을 만났어. 요즘처럼 SNS가 발달했다면 금방 할 일을 그때는 이렇게 만나는 것도 참 어려운 일이었지. 프린스턴의 과학자들은 우주배경복사가 계산으로만 존재하는 것이 아니라 실제 존재한다는 것을 확인하고 소름이 끼쳤어. 벨연구소 과학자들은 잡음은 자신들의 잘못이 아니라 원래 우주에 존재하는 빛 때문이라는 것을 알고 안도했고 말이야. 그리고 빅뱅 우주론에 힘을 보탤 증거를 찾았다는 사실에 큰 자부심을 느꼈지. 물론 우주배경복사를 찾으려고 한 건 아니었지만 말이야. 중요한 것은 빅뱅 모형에서 말하는, 자유를 찾은 광자들이 정말로 있었다는 점이야.

이 발견으로 빅뱅 모형은 더욱 힘을 받았고 우주배경복사를 발견한 펜지어스와 윌슨은 1978년 노벨상을 받았어. 아, 이렇

●── 펜지어스와 윌슨이 통신의 질을 높이려고 사용한 전파망원경. 그들은 잡음을 없애려고 전파망원경에 묻은 비둘기 똥도 열심히 닦아 냈지만 잡음을 없앨 수는 없었다. 당연하지. 그것은 우주 어디에든 깔려 있는 배경이었으니까!

게 되고 나니 앨퍼와 허먼이 너무 억울하지 뭐야. 이들이 우주배경복사를 주장할 때는 아무도 들으려 하지 않고 인정도 하지 않았는데 말이야. 펜지어스와 윌슨은 앨퍼와 허먼의 이야기를 나중에야 알았고 노벨상을 받은 뒤 그들을 찾아가 인사를 했다고 해. 인사를 받았을 때 앨퍼와 허먼의 느낌이 어떨지 몹시 궁금하지?

우주배경복사를 발견한 사람들이 노벨상을 받자 우주론은 인기 있는 분야가 되었어. 이에 힘입어 1990년대에 미국항공우주국 나사(NASA)에서는 코비(COBE, Cosmic Background Explorer) 위성을 띄우고 우주배경복사의 이론을 더욱 자세히 검증하는 작업에 들어갔지.

코비가 찍은 사진은 붉은 물감과 파란 물감을 물 위에 풀어 종이로 덮었다 떼어 낸 것 같은 그림이었어. 이것은 물질이 있는 붉은 부분과 물질이 좀 적은 파란 부분 때문에 나타난 현상이야. 그러니까 우주의 나이 38만 년일 때 우주는 균질하지 않았다는 뜻이지.

우주의 역사 초기에 물질이 불균일하게 분포하고 있었기 때문에 오늘날 우리가 있을 수 있다는 건 이제 말 안 해도 알 수 있지? 그래서 이 사진을 만든 조지 스무트와 존 매더는 현대 미술가들이 그린 것 같은 도저히 이해할 수 없는 사진 한 장을 들고 나와 "여러분은 지금 신의 얼굴을 보고 있다"라는 유명한 말

• —— 우주배경복사 지도.
위에서부터 순서대로 COBE, WMAP, Planck 위성이 관측한 결과다.

을 남겼어. 그 얼룩들이 오늘날 우리가 존재하게 된 씨앗인 셈이니까. 두 사람은 이 사진 덕분에 2006년 노벨상을 받았어.

2001년 나사는 태양과 지구 사이에 있는 라그랑주2지점에 WMAP(Wilkinson Microwave Anisotropy Probe, 윌킨슨 마이크로파 비등방성 탐색기)을 데려다 놓고 우주배경복사를 좀 더 정밀하게 측정했어. 유럽우주국도 플랑크(Planck) 위성을 쏘아 올려 우주배경복사를 측정했지. 그 결과 코비가 그렸던 것보다 더욱 자세한 우주배경복사 지도가 완성되었어. 코비가 그렸던 것이 물감을 뭉턱뭉턱 바른 그림이라면 WMAP과 플랑크 위성이 그린 그림은 점묘법으로 그린 것 같았어.

지도에서 확인하듯, 우주배경복사의 분포는 역시 균일하지 않았어. 물질의 밀도가 높은 곳에서 별과 은하가 생겨났고 결국 우주의 거시 구조를 만들었다는 것이 증명되었지. 빅뱅 모형은 우주의 초기 역사를 설명하는 이론으로 더욱 견고한 자리를 차지하게 되었어.

음료는 수소헬륨 칵테일

　빅뱅 모형을 더욱 강력하게 만들어 준 과학적 증거는 수소와 헬륨의 질량 비율이야. 우리은하에 있는 물질들을 분석해 보면 헬륨의 비율이 약 28% 정도야. 다른 은하들도 대략 25% 정도가 헬륨이고 말이야. 물론 나머지는 대부분 수소야. 우주에 있는 은하 중에는 헬륨의 구성비가 25%보다 낮은 것은 없어.

　가만히 생각해 보면 이건 참 이상한 일이야. 우리가 알기로 우주의 주성분은 수소이고 수소를 헬륨으로 만드는 유일한 방법은 핵융합인데, 현재 핵융합은 별의 중심부에서만 이루어지고 있어. 하지만 이렇게 만들어지는 헬륨은 아주 적은 양이야. 그런데 우리은하를 이루는 막대한 양의 가스 중 4분의 1이 헬륨이라니, 이건 별의 몸속에서 만들어지는 것보다 훨씬 많은 양이야. 그래서 과학자들은 우리은하와 다른 은하의 가스 속에 있는 헬륨은 우주의 역사 초기에 수소와 함께 만들어져서 지금에 이르고 있다고 생각하지.

앞에서 이야기했지만 살짝 까먹었을지도 모르는 처음 5분간에 대해 다시 기억을 더듬어 볼까. 빅뱅 이후 매우 뜨겁고 밀도가 높았던 바로 그때 말이야. 물론 이것은 빅뱅 모형이 예측한 계산이야.

우주의 온도는 10^{11}K! 이때에는 핵융합 반응이 활발해 양성자가 중성자로 변환되기도 하고 그 반대 일도 벌어졌어. 그러나 여기서 온도가 조금만 낮아지면 양성자가 중성자로 변하는 일이 줄어들어. 왜냐하면 중성자가 양성자보다 조금 무거워서 중성자를 만드는 데 에너지가 더 들기 때문이지. 온도가 10^{11}K 보다 낮아지면 이미 존재하는 중성자를 양성자로 만드는 일은 할 수 있지만 양성자를 중성자로 변환시키는 일은 할 수 없어. 결국 중성자 수는 자꾸자꾸 줄어들 수밖에 없지.

온도가 더 낮아져서 빅뱅 이후 5분이 되었을 때는 중성자가 양성자로 변하는 것마저 불가능할 정도가 되고 말아. 그리고 그 순간 중성자와 양성자의 양은 정해졌고, 물질의 비율은 '그대로 멈춰라!' 상태가 되었지. 그때 양성자와 중성자의 비율을 계산해 보면 7 : 1이야.

이제 양성자 14개와 중성자 2개가 담긴 바구니를 떠올려 볼까. 그리고 세 가지 사항을 잊지 말아야 해. 첫째는 양성자와 중성자는 질량이 거의 비슷하다는 점이야. 둘째는 양성자 2개와 중성자 2개를 융합한 것이 헬륨 핵이라는 사실이야. 셋째는 양성자는 곧 수소 핵이라는 점이지.

이 세 가지 사항을 고려하면 바구니 안에는 헬륨 1개와 수소 12개가 있는 것과 같아.

양성자 2개와 중성자 2개가 곧 헬륨 핵이니 헬륨의 질량은 수소보다 4배 더 나간다는 것을 알 수 있어. 원자핵의 질량은 곧 원자의 질량이야. 전자는 너무나 가벼워서 원자의 질량에 거의 영향을 주지 않으니 말이야. 이런, 너무 쉬운 걸 설명했네, 미안.

자, 이제 바구니 안에 있는 수소와 헬륨의 질량비를 결정할 순간이야. 바구니 안의 수소와 헬륨의 개수비는 12:1이지만 헬륨이 수소보다 4배 무거우니 질량비는 12:4=3:1인 셈이야. 곧 헬륨이 우주 질량의 25%을 차지하고 있는 거야. 물론 바구니는 우주를 비유한 것이지.

이렇게 천문학자들이 계산한 바에 의하면 처음 5분간 만들어진 헬륨 역시 물질 질량의 25%를 차지하고 있어야 하고 이 사실이 맞다면 오늘날 관측한 수소와 헬륨의 질량비 역시 헬륨이 25%를 차지하는 3:1이어야 빅뱅 모형이 지지를 받을 수 있는

●── 소용돌이은하 M51. 우주에 있는 은하들은 수소 : 헬륨 = 3 : 1 질량비를 갖추고 있다. 이것은 우주 초기에 정립된 것으로 나이가 많은 은하일수록 헬륨의 질량비가 높아진다.

것이지. 그런데 놀랍게도 이 모든 것이 딱 맞아떨어진 거야. 바로 이 점 때문에 빅뱅 모형이 지지를 받고 있지.

이제 의심이 많은 독자라면 이런 질문을 할지 몰라.

"우리은하에는 28%가 헬륨이라면서?"

왜 우리은하에는 헬륨이 더 많은 것일까?

아주 좋은 질문이야. 질문은 자꾸 해야 하는 거라고!

우주의 역사 초기에 만들어진 헬륨을 제외하고 그 뒤로 만들어진 헬륨은 모두 별의 몸속에서 핵융합에 의해 생겨났다는 것쯤은 이제 잘 알겠지? 밤하늘에 빛나는 별, 곧 우리은하에 있는 별들은 지금 이 순간에도 열심히 수소를 융합해 헬륨을 만들고 있어.

수많은 별이 만들어 낸 헬륨은 다양한 경로로 은하 내에 퍼져. 결국 은하가 나이를 먹을수록 은하 안에 있는 헬륨의 양은 늘어날 수밖에 없는 거라는 말이지. 아울러 우주의 역사 초기에는 없었던 다양한 원소들을 더 많이 가지게 되고 말이야. 은하의 입장에서 보자면 경험치가 늘어나는 것이라 볼 수 있는 거야. 아니면 레벨이 올라가면서 아이템이 늘어나는 것이라 볼 수도 있겠지.

그러니 어떤 은하가 25%보다 약간 많은 헬륨을 가지고 있다고 해서 이상할 것은 없어. 오히려 이것은 아주 자연스러운 일이고 당연한 일이기까지 해.

급팽창 이벤트 추가

이번에는 급팽창에 대해 조금 자세히 이야기해 볼까 해. 겁먹지 마, 우리에겐 주문이 있잖아?

"이건 그냥 단어다!"

급팽창은 대통일 이론의 시기가 거의 끝나 가는 시기인 10^{-38}초 무렵 발생했어. 못 외워도 괜찮아. 이런 건 표에 다 나와 있다고. 우리는 뇌를 좀 더 창의적인 곳에 쓸 필요가 있어. 그러니 이런 숫자 따위는 표에 맡겨 두자고!

강력, 전자기력, 약력이 서로 엉켜 있던 시대가 끝나 갈 무렵 강력이 떨어져 나왔어. 이것 역시 잊었어도 괜찮아. 혹시 잊었을까 봐 다시 이야기해 주는 거니까 말이야!

강력이 얼음처럼 얼어붙어 대통일힘에서 떨어져 나온 그 순

간, 우주는 강력으로부터 받은 에너지를 주체할 수 없었어. 이건 이미 배가 부른데 맛있는 것이 눈앞에 또 나타난 상황과 비슷해. 더 먹으려면 부담스럽지만 먹지 않고는 배겨 낼 수 없는 그런 상황인 거지. 해결 방법은 위가 늘어나 맛있는 것을 하나도 놓치지 않고 다 먹어 버리는 거야. 다행히 우리 위는 엄청나게 신축성이 좋아서 많이 늘어나 먹을 수는 있을 거야.

우주 역시 강력이 내던진 에너지를 가두고 있으려면 공간을 부풀리는 수밖에 없었지. 그것도 아주 빠르게 말이야. 얼마나 빨랐느냐 하면 공간이 늘어나는 속도가 빛의 속도보다 빨랐다지 뭐야. 이런 걸 두고 좀 어려운 말로 설명하면, 우주 공간은 생각지도 못한 큰 에너지가 생기자 그것을 팽창에너지로 쓸 수밖에 없었는데, 이건 말이 좋아 팽창이지 아주 강력하고 엄청난 우주 대폭발이었던 거야.

빅뱅 이후 공간이 빛의 속도보다 빨리 부풀게 된 급팽창은 정말 이상한 생각 같지만, 오늘날 우주에서 관측할 수 있는 세 가지 문제를 잘 설명할 수 있어.

첫 번째 문제에 대해 생각해 볼까. 우주의 역사가 38만 년일 때 자유를 얻은 광자들이 우주배경복사를 이룬다는 것을 기억하고 있을 거야. 그리고 더 좋은 인공위성이 찍은 우주배경복사의 사진일수록 우주 전체에 퍼진 우주배경복사의 온도가 조금씩 달랐다는 것도 기억하고 있을 것이고 말이야. 그 온도 차이란 0.0001K로 정말 미미해. 그래도 이런 온도 차이는 광자가 자유를 얻을 때 물질의 밀도가 달랐다는 것을 아주 잘 설명해 주고 있어.

물질이 많이 모여 주변보다 밀도가 높은 곳은 운동에너지가 많아 입자들의 온도가 조금 높아. 반대로 밀도가 주변보다 작은 곳은 에너지가 적어 온도가 낮지. 그 차이가 0.0001K 정도 된다는 거야. 그러니 우주배경복사를 측정해 만든 지도에 온도가 균일하지 않고 지역마다 다르다는 것은 당시 우주의 밀도가 같지 않았다는 뜻이야.

이건 참 이상한 일이야. 처음 태어난 우주의 밀도가 균질하지 않을 이유가 전혀 없기 때문이지. 그러나 관측을 통해 알아본 우주는 분명히 처음부터 밀도가 다 같지 않았어. 이걸 어떻게 설명해야 할까? 빅뱅 모형을 지지하는 사람들의 고민 중 하나는 바로 이것이었어. 우주는 처음부터 균일하지 않았다는 것을 증명해야 했던 것이지. 도대체 우주의 역사 초기에 무슨 일이 있었기에 우주에 얼룩이 졌던 것일까?

요즘 양자역학을 연구하는 과학자들이 알아낸 바에 따르면 원자만큼 작은 크기의 공간에도 에너지는 불규칙한 분포를 가지고 있다고 해. 원자 하나도 성질이 균질하지 않다는 거지. 아, 이건 딴소리긴 하지만, 우리는 원자로 이루어져 있으니 우리가 시시각각 기분이 달라지는 것도 당연한 거라고!

자, 다시 양자역학 이야기로 돌아갈까. 원자만 한 작은 크기의 공간에 에너지가 불규칙한 분포를 가지는 현상을 양자요동이라고 하는데, 어디에 얼마만큼의 에너지가 분포하고 있는지 우리는 정확히 알 수가 없다 그런 말이야. 다시 말해 아주 작은 공간에서도 에너지는 균질하지 않다는 뜻이지. 나아가 어디에 얼마만 한 에너지가 있는지 정확히 알 수 없어. 어때, 마음이 좀 편해지지 않아? 세상에 확실한 게 없는 것이 과학으로 증명된 거잖아.

그런데 빅뱅 후 아주 짧은 시간 동안 이 양자요동이 10^{30}배 크기로 증가했어. 이것은 작은 귤이 태양계만큼 커진 것과 같아. 이게 바로 급팽창인 거야. 엄청나지?

급팽창하는 순간 에너지의 불규칙도 그대로 확대되었어. 과학자들의 말에 따르면 그것이 바로 이 우주의 물질이 불균질하게 분포하게 된 이유라는 거야. 이쯤 되면 누군가 질문할 거야.

"에너지와 물질이 무슨 관계죠? 양자요동은 에너지 분포라고 하지 않았나요? 우주배경복사는 물질의 불균질에 대해 이야기하는 거고 말이에요!"

맞아, 맞아. 정말 똑똑해!

그런데 여기서 잊지 말아야 할 것은 우주의 역사 초기에는 에너지와 물질이 쉽게 상태 변환을 할 수 있었던 마법의 시기였다는 것이야. 그냥 마법이 아니라 '과학 공인 마법!'

자, 이제 두 번째 문제로 가 볼까. 두 번째 문제는 서로 연락이 닿을 수 없는 우주에서도 우주배경복사는 같다는 거야. 이게 도대체 무슨 말인지 모르는 사람들을 위해 부연 설명을 하자면 다음과 같은 이야기야.

하늘을 보면 어디든 어김없이 우주배경복사가 있어. 이 빛은 빅뱅 이후 38만 년 때 생긴 빛이므로 그 빛을 보고 있다는 것은 우주의 거의 끝을 보고 있는 것과 같아. 이 빛은 138억 년을 달려 지구에 도착한 셈이니까. 138억 년은 우주의 나이야.

이제 몸을 돌려 지구 반대편 하늘을 보는 사람을 생각해 볼까. 미국도 괜찮고 아프리카도 괜찮아. 지금 지구 반대편에 있는 사람은 내가 방금 본 하늘의 반대편 끝에서 오는 우주배경복사를 보고 있을 거야. 이 역시 우주의 끝이고 이 빛 역시 138억 년을 달려서 지구에 도착했지. 나를 중심으로 서로 반대 방향에 있는 두 지점에서 온 빛은 지금 이 순간 나에게 동시에 도착한 거지.

자, 이제 좀 이상한 이야기를 할게. 지금 나에게 다가오던 광자 중 하나가 지구를 아슬아슬하게 지나쳐 지나가 우주의 반대 끝으로 가고 있다고 생각해 봐. 이 광자는 반대편 우주의 끝에 도달할 수 있을까?

절대 그럴 수 없어.

우주 반대편에 가려면 다시 138억 년을 달려가야 할 뿐 아니

라 우주는 계속 팽창하고 있으므로 팽창하는 공간까지 따라잡
아야 하니, 빛의 속도가 더 빨라지지 않는 한 이 빛은 영원히
우주의 반대 끝에 도달할 수 없는 것이지!

이건 정말 이상한 일이야. 우주의 반대 끝에 있는 두 지점에
있는 물질들은 도저히 섞일 수 없는데도 우주배경복사라는 이
름처럼 우주에 배경으로 깔려 있으니 말이야.

이는 우주가 점만큼 작아 에너지와 물질이 모두 같은 속성으
로 섞여 있을 때, 빛보다 빠른 속도로 공간이 늘어나 그 특징을

• —— 제임스 웹 우주망원경이 관측한 딥 필드. 처음 태어난 별과 우주를 만나 보자. 저 은하들을 본 뒤 망원경을 180도 돌려 반대 방향을 보면 놀랍게도 거의 같은 모습, 같은 화학 조성, 같은 온도의 우주가 펼쳐져 있다. 그러나 두 지점의 사이는 300억 광년이 넘는다. 우주의 역사가 138억 년이니 두 지점은 정보를 교환할 시간이 없었다. 이 상황을 해결하는 방법은?

그대로 가진 채 오늘날에 이르렀기 때문이라고밖에 설명할 수 없어. 빛보다 빠른 공간의 팽창, 이 개념만이 오늘날 온 우주에서 보이는 우주배경복사를 설명할 수 있는 것이지.

세 번째는 우주의 밀도 또는 편평도에 관한 것이야.

우리는 우주 속에서 살고 있기 때문에 잘 모르지만, 우주는 유한하기 때문에 우주에는 분명 어떤 형태가 있을 거야. 과학자들은 이 형태를 짐작하는 방법으로 곡률이라는 개념을 써. 단어를 있는 그대로 풀이하자면 휘어진 정도 또는 편평도라고 볼 수 있지.

물론 우주의 곡률은 물질 분포에 따라 지역마다 다를 수 있어. 공간이 휘어진다는 것인데, 아주 질량이 많이 나가는 천체 주변에서는 공간이 흰다는 것쯤은 이제 상식으로 알려져 있지. 이런 생각은 좀 더 큰 단위 예를 들면 우주 전체를 볼 때도 적용할 수 있어. 우리가 지구에 살고 있고 지구가 너무 크기 때문에 곡률이 있다는 것을 모르지만 곡률이 있는 것은 분명하다는 사실과 비슷한 상황인 거지.

우주 역시 전체를 보면 반드시 어떤 경향성을 보일 거야. 과학자들은 우리 우주는 세 가지 중 하나일 것이라고 생각하고 있어. 첫째는 우주 어디에도 휘어진 경향을 찾아볼 수 없는 편평한 우주, 둘째는 구처럼 휘어진 경향을 관측할 수 있는 구형 우주 또는 닫힌 우주, 셋째는 말안장 같은 휘어짐을 관측할 수 있는 열린 우주야.

관측에 따르면 우리 우주는 어느 곳에서도 곡률을 측정할 수 없는 편평한 우주야. 휘어진 곳이 없다는 뜻이지. 그리고 우리 우주에서 곡률을 측정할 수 없는 이유는 우주의 역사 초기에 급팽창으로 공간이 빛보다 빠른 속도로 팽창했기 때문이라고 보는 거야. 우리가 지구는 둥글다는 것을 알아채기 어려운 경우와 같은 거지. 또는 풍선에 개미를 올려놓고 아주 빠르게 불어 크게 만들면 개미의 입장에서 풍선은 곡률이 너무 커서 거의 편

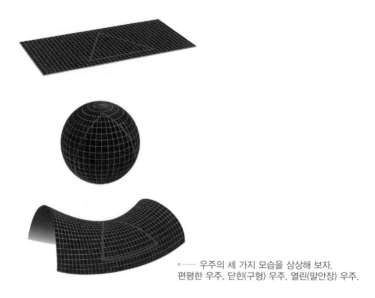

●── 우주의 세 가지 모습을 상상해 보자.
편평한 우주, 닫힌(구형) 우주, 열린(말안장) 우주.

평하게 보일 것 아니겠어? 우리는 풍선 위의 개미와 같은 입장
인 셈이지.

이처럼 급팽창 가설은 빅뱅 이론이 해결하지 못한 문제들을
설명해 주었어. 그럼에도 불구하고 아직까지 급팽창이 실제로
일어났는지 검증할 방법이 없는 것도 사실이야. 하지만 다른
좋은 대안이 없으니 이 이론을 제외할 수도 없어.

급팽창에 대한 구체적인 증거를 찾지 못한 것은 어린 학생들
에게는 매우 좋은 일이야. 분명 누군가 이 문제를 해결하게 될
것 아니겠어? 그럼 완전히 스타가 되는 거지.

어둠의 세계

　　과학자들의 피나는 노력에도 불구하고 우주가 무엇으로 이루어져 있는지 정확히 몰라. 아니, 그럴 리가 없다고? 태양, 지구, 달, 행성들이 이렇게 버젓이 있는데 우주의 구성성분을 모른다니 이상하지?

　좋아, 그럼 우선 우리가 무엇을 알고 있는지 생각해 볼까. 물론 가까이에는 태양, 달, 행성들이 있어. 모두 볼 수 있고 실제로 거기에 존재하고 우리가 알고 있는 원자와 분자로 이루어져 있는 물질이야. 조금 멀리 가면 우리은하 안에 있는 천억 개에 달하는 별들을 만날 수 있는데, 그 주변에 가스와 먼지가 잔뜩 흩뿌려져 있어. 이들 역시 우리가 알고 있는 원자와 분자로 이루어진 물질이지. 우리은하를 벗어나면 우리은하와 같은 은하들이 셀 수 없이 많아. 우리 눈에 보이는 외부은하 역시 우리가 익히 알고 있는 물질로 이루어져 있고 말이야. 그러나 놀랍게도 이런 물질은 우주의 구성성분 가운데 4%에 불과해.

이럴 수가! 우리가 알고 있는 물질의 세계가 겨우 4%라니! 이건 우주에 대해 아무것도 모르는 것이나 마찬가지 아니야? 만약 우리가 먹는 과자의 성분 가운데 96%를 모른다면 그 과자에 대해 안다고 할 수 있을까? 아니, 그 과자를 먹을 생각이 들까? 우리는 도무지 알 수 없는 성분으로 이루어진 우주에 살고 있는 거야.

우리는 그동안 우주에 대해 엄청나게 어려운 이야기들을 했지만, 우주에 대해 그다지 아는 것이 많지 않다는 사실을 인정해야만 해. 어려운 용어들을, 이건 그냥 단어라고 주문까지 걸면서 여기까지 왔는데, 우리가 아는 게 거의 없다니. 정말 너무하지 않아?

그렇게 흥분하지 마. 그렇다고 우리가 무식하다는 말은 아니니까. 이만큼 밝혀낸 것만 해도 어디야? 인간은 공룡이 멸종한 이후 이 지구에 살아남은 작은 설치류의 후손으로, 겨우 6500만 년 만에 우주의 비밀을 4%나 알아낸 거잖아. 이건 대단한 거야. 암 그렇고말고. 적어도 우리는 '모르는 것이 96%'라는 것을 알잖아. 그건 아주 중요한 거야.

과학자들은 우리가 모르는 것에 대해 어떤 이름을 붙일까 고

민했어. 그리고 '암흑'이라는 단어를 쓰기로 했지. 우리가 뭔지 모르는 96%의 물질을 암흑물질이라고 부르기로 한 거야. 우리가 모르는 형태의 에너지는 암흑에너지라고 부르고 말이야. 미지의 물질, 미지의 에너지보다 암흑물질, 암흑에너지라고 하니 더 멋있지?

자, 이제 나머지 96%를 차지하고 있는 암흑물질과 암흑에너지에 대해 이야기해 볼까 해. 먼저 암흑물질!

암흑물질을 이해하려면 우리은하 안에서 벌어지는 일에 대해 조금 알아볼 필요가 있어. 우리은하는 납작하게 생겼고 위나 아래에서 보면 두 개의 나선팔이 중심을 휘감고 있어. 원반의 중심부에 별들이 많이 모여 있어 조금 불룩한데 두께는 1만 5천 광년 정도야. 광년이란 빛이 1년 동안 이동한 거리를 1로 둔 단위야. 원반의 지름은 10만 광년인데, 이와 같은 모습은 우리은하를 구성하고 있는 별들과 가스, 먼지 덕분에 완성된 거야. 별 하나하나가 점이 되어 우리은하라는 그림을 완성한 셈이지.

왠지는 몰라도 우리은하를 비롯한 모든 은하는 돌고 있어. 그 이유는 아무도 몰라. 그냥 생길 때부터 돌고 있어. 이 수수께끼를 푼다면 분명 인기 있는 과학자가 될 거야. 우주에서 돌고 있는 천체들을 관측해서 알게 된 사실 하나는 천체들이 질량중심을 중심 삼아 돈다는 거야. 태양계의 경우 모든 행성이 태양을 중심에 놓고 도는데, 그 이유는 태양계의 질량중심이 태양 안

팽대부

구상성단

은하 원반

헤일로

태양

태양

에 있기 때문이지. 물론 태양계에서 질량이 가장 큰 것이 태양
이기 때문에 당연하지만 말이야.

우리은하의 경우 질량중심은 원반의 가운데 부근 언저리야.
천억 개에 달하는 별과 엄청난 양의 물질 위치를 전부 고려할
때 은하 중심에 꼬챙이를 꽂아야 우리은하 원반이 쓰러지지 않
고 균형을 유지한다는 말이지. 그리고 그 질량중심을 기준으로
모든 별과 물질이 돌아.

이렇게 질량중심을 기준으로 회전하면 회전속도는 질량중심
과 천체 사이의 중력에 영향을 받을 수밖에 없어. 질량중심에
서 멀어질수록 중력의 크기는 작아지므로 회전속도도 줄어드는

거지. 이와 같은 예는 우리 태양계에서도 쉽게 찾아볼 수 있어. 태양에서 먼 행성의 공전 속도는 가까운 행성의 속도보다 느려. 다시 말해 수성은 엄청 빨리 돌고, 해왕성은 천천히 돈다는 뜻이지. 우리은하도 마찬가지야. 은하 중심에 있는 별들은 빨리 돌고, 은하 중심에서 멀리 떨어진 변두리 지역에 사는 태양은 그것보다 느리고 태양보다 더 바깥에 있는 별의 속도는 더욱 느려야 해.

그런데, 말이야, 우리은하에선 그렇지 않았어. 물론 다른 은하에서도 말이야.

은하 중심의 둥근 부분에 있는 별들은 접시에 붙어 있는 것처럼 은하를 공전하고 있었어. 접시를 돌리면 접시 중앙이나 바깥이나 모두 같은 각속도를 가지고 돌아. 그것은 바깥쪽에 있는 점이 더 빨리 돈다는 뜻이지. 이건 우리가 생각하는 중력과 공전속도의 상식에 벗어나는 거야.

더 이상한 것은 은하 중심의 불룩한 부분, 곧 팽대부가 끝나는 부분부터 나선팔에 있는 별들의 공전속도야. 여기에 있는 별들도 중심에서 멀어진다고 속도가 떨어지지 않았어. 나선팔에 있는 별들은 중심에 가깝든 멀든 모두 같은 속도로 돌고 있었어. 그래서 나선팔 모양이 나타났던 것이지. 한 줄로 죽 서서 가운데 서 있는 선수를 중심으로 바람개비처럼 도는 피겨스케이팅 선수들을 생각해 봐. 이 직선을 흐트러트리지 않고 그대

●── 비밀에 싸인 구상성단. 구상성단은 우리은하의 위아래에 구형으로 분포한다. 게다가 구상성단은 1만 개 이상의 별로 이루어져 있는 질량이 큰 천체이기 때문에 은하의 운동에 무시할 수 없는 영향을 준다. 그러나 우리는 구상성단이 어떻게 만들어지는지 아직 잘 모른다. 또 먼 외부은하에 있는 구상성단은 잘 보이지도 않는다. 그래서 구상성단은 암흑물질 후보 1순위.

로 유지하려면 가장 바깥에 있는 선수는 아주 빨리 달려야 해. 대신 가운데 있는 선수는 아주 천천히 돌아도 되지. 그래야 막대기가 회전하는 것처럼 보일 거야. 만약 모두 같은 속도로 돈다면 회오리 모양이 생기겠지.

중심에서 멀어질수록 별은 느리게 돌지 않는다! 별들이 공전하는 속도만 보자면 은하 안에서는 중력의 법칙이고 뭐고 통하지 않는 것처럼 보여. 은하 자체가 미스터리인 거지.

과학자들은 이렇다는 사실을 알고 매우 놀랐어. 모르는 건 참을 수 없는 과학자들은 어떻게 해서든 이 상황을 설명해야만 했어. 그래서 생각해 낸 것이 보이지도 않고 속성도 알 수 없는 암흑물질의 존재야. 우리가 알고 있는 어떤 방법으로도 검출할 수 없으며 어떤 특징을 가지고 있는지도 모르지만 분명히 있는 암흑물질! 이 암흑물질이 강력한 중력을 행사해 별들의 공전 속도를 좌지우지하고 있다는 거지!

과학자들은 중력법칙을 이용해 암흑물질의 양을 계산했어. 그랬더니 우리가 관측해서 밝혀낸 물질의 질량보다 10배나 많다지 뭐야. 그리고 이 암흑물질은 우리은하를 공처럼 감싸고 있다고 해. 보이지 않지만 분명히 그래. 그렇지 않으면 은하 안에서 움직이는 별들의 운동을 도저히 설명할 수 없거든.

우리은하에 있는 별들은 암흑물질이 조종하고 있는 마리오네트인 셈이지.

은하단의 암흑물질

프리츠 츠비키(Fritz Zwicky)라는 천문학자가 있었어. 이름부터 뭔가 범상치 않은 분위기가 풍기지? 1930년대에 츠비키는 은하단을 열심히 관측하고 있었어. 은하단이 뭐냐고? 그야 우리은하 같은 은하들이 모여 있는 것을 은하단이라고 하지. 별이 천억 개 단위로 모여 같은 중력권 안에서 서로 돌며 나선형이나 타원형을 유지하는 것을 은하라고 하고, 그런 은하가 수십 개 또는 수백 개, 나아가 더 많이 모여 있는 것을 은하단이라고 해. 별들이 은하의 질량중심을 중심으로 은하 안에서 도는 것처럼 은하들은 은하단의 질량중심을 기준으로 공전하고 있어.

그렇게 공전 운동을 하도록 만드는 것은 바로 중력이라는 힘

• —— 베라 루빈은 1960~1970년대에 수백 개의 외부은하를 관측해 암흑물질의 증거를
찾아냈다. 츠비키는 루빈에게 매우 고마워해야 한다. 루빈이 아니었다면 30년이나 잠들
어 있던 츠비키의 암흑물질 가설은 진짜 암흑 속에 묻히고 말았을 것이다.

이야. 츠비키는, 그 옛날 뉴턴이 만든 중력법칙과 운동법칙을 이용하면 자신이 관측하고 있는 은하단의 총질량을 구할 수 있을 것이라 여겼어. 정말 놀라운 생각 아니야? 지구를 떠나지 않고도, 아니 우리은하를 벗어나지 않고도 외부은하단의 질량을 알 수 있다니 말이야. 츠비키는 자신이 생각한 것을 실천하기 위해 열심히 은하 하나하나의 속도를 측정했어. 어떻게 했는지 지금부터 말해 줄 테니 잘 들어 봐.

자, 저기에 은하 10개로 이루어진 은하단이 있다고 쳐.(물론 은하단은 이것보다 많은 은하들로 이루어져 있어.) 츠비키는 은하들이 태양에서 우리로부터 얼마나 빨리 멀어지고 있는지 또는 다가오고 있는지를 측정했어. 이런 걸 시선속도를 측정한다고 해. 그다음으로 은하의 시선속도를 모두 더해 10으로 나누어 평균속도를 구했어. 이것은 이 은하단이 통째로 우리에게서 멀어져 가는 속도야. 은하단은 한 반 전체가 체험학습 나온 학생들처럼 동시에 몰려다니거든. 츠비키는 그렇게 은하단의 평균속도를 구한 뒤 1번부터 10번까지 은하 각각의 속도에서 은하단 평균속도를 뺐어.

왜 그랬을까?

이렇게 구한 것이 바로 각 은하가 은하단 내에서 공전하는 속도이기 때문이야. 츠비키는 은하단 안에서 각각의 은하가 얼마의 속도로 움직이고 있는지 알고 싶었던 거야. 속도를 알면 중력법칙을 이용해 질량을 구할 수 있어. 그리고 그만한 질량을 가진 은하단이 낼 수 있는 빛의 양을 계산했지. 여기서 중요한 것은 빛의 양을 관측한 것이 아니라 계산했다는 점이야. 만약 츠비키가 구한 질량으로부터 계산해 낸 밝기가 지금 당장 관측한 밝기와 같다면 이상할 것이 하나도 없어, 예상한 대로 모든 일이 돌아가고 있는 거니까. 그런데 결과는 그렇지 않았어.

츠비키는 자신이 계산한 은하단의 밝기가 실제로 보이는 밝기보다 훨씬 밝다는 것을 알고 깜짝 놀랐어. 계산대로라면 은하들은 지금보다 더 밝게 빛나야 했던 거야. 그러나 실제로 우리가 보는 은하는 너무 어두워서 비싼 망원경으로 봐야만 보일 정도였지. 계산한 값보다 어두워도 너무 어두웠던 거야.

이런 결과가 나온 이유는 뭘까? 자, 추리 탐정이 되었다고 치고 생각해 보자고.

우선 계산한 밝기가 훨씬 밝게 나왔다면 질량이 크게 계산되었기 때문이야. 질량이 크게 계산된 이유는 속도가 빠르게 나왔기 때문이고 말이야. 속도가 빠르게 계산된 이유는 질량이 무겁기 때문이야. 결론은 하나. 빛으로는 확인할 수 없는 숨어 있는 질량이 있는 거야. 바로 암흑물질이지!

츠비키는 은하단에는 우리에겐 보이지 않는 물질이 있어서 훨씬 큰 중력을 행사하고 있으며, 그 힘이 은하들을 훨씬 빨리 돌리고 있다고 추측했어. 그리고 '암흑물질'이 존재한다고 주

•── 스테판 오중주. 다섯 개의 은하가 중력으로 묶여 서로 돌고 있다. 이들 사이에는 우리 눈에는 보이지 않는 무언가가 있다. 그로 인해 은하들은 예상보다 빠르게 움직인다. 그것이 바로 암흑물질!

●── 엑스선으로 본 오리온 대성운. 엑스선으로 보면 초고온가스가 보인다. 천문학자들
은 초고온가스를 암흑물질의 또 다른 후보로 보고 있다.

장했지. 오늘날에는 그의 주장이 백퍼센트 옳다는 것을 알지만 당시엔 그렇지 않았어. 과학자들은 츠비키가 뭘 잘못 계산했다고 몰아쳤고 두고두고 놀려 댔지. 그러나 그 뒤에 나오는 연구 결과는 츠비키가 부르짖었던 암흑물질이 분명 존재한다는 것을 더욱 확실하게 해 주었어.

눈에 보이는 것이 전부가 아니라는 것을 알려 주는 또 하나의 증거는 은하단 사이에 퍼져 있는 초고온가스들이야. 이 가스들은 은하단 사이를 채워 주는 물질인데 자외선보다 에너지가 센 엑스선을 내뿜기 때문에 당연히 우리 눈에는 보이지 않을 뿐 아니라 사진에도 나오지 않아. 이 가스를 초고온가스라고 부르는 이유도 엑스선을 내놓을 정도로 온도가 높기 때문이야. 하지만 엑스선으로 하늘을 보면 이 엄청난 가스들이 거대한 은하 사이를 메우고 있는 것을 볼 수 있어. 과학자들의 연구에 의하면 초고온가스의 질량은 은하단을 구성하는 별들의 질량의 7배나 된다고 해. 우리가 보고 있는 것은 은하단을 구성하는 물질의 8분의 1인 셈이지. 이래 가지고야 뭘 알고 있다고 말할 수 있을지 모르겠네.

중력렌즈는 누구인가?

은하의 속도나 초고온가스 입자의 속도를
바탕으로 암흑물질이 있다고 주장하는 것이 과연 믿을 만할까?
이들은 모두 뉴턴의 운동법칙이 옳다는 가정 아래 계산한 거
야. 뉴턴의 운동법칙은 믿을 수 있나? 뉴턴의 중력법칙과 운동
법칙은 지구상에서는 옳은 것으로 모두 인정하고 있어. 그러나
저 먼 우주 공간에서도 다 맞아떨어질까?

의심 많은 과학자들은 뉴턴의 힘에 기대지 않고 은하들의 질
량을 측정해 보기로 마음먹었어. 그것이 바로 중력렌즈를 이용
하는 것이었지. 중력렌즈란 말 그대로 중력이 렌즈 역할을 해
서 빛을 휘어가게 만드는 현상이야. 수정이나 유리를 깎아서
곧바로 가고 있는 빛을 휘게 만드는 렌즈의 역할을 중력이 한다

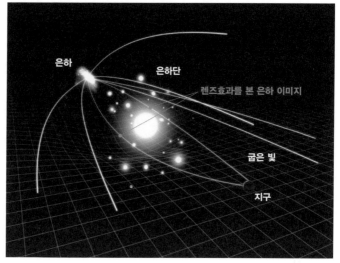

은하

은하단

렌즈효과를 본 은하 이미지

굽은 빛

지구

●—— 중력렌즈의 원리.

는 거지. 그런 일이 가능하냐고?

가능해.

일찍이 아인슈타인이 일반상대성이론을 발표하면서 그런 일이 있을 것이라 예언을 했었고, 1919년 애딩턴이 일식을 관측하면서 중력렌즈 현상을 확인한 바 있거든. 그러니 아무리 빛이라도 별처럼 무거운 것 주변을 지나갈 때는 휜다는 것이 확실해진 셈이지.

자, 그럼 중력렌즈 현상을 이용해서 외부은하의 질량을 구하는 방법을 알려 줄게.

허블 우주망원경이 찍은 사진 가운데 '에이벨 383'이라는 은하단의 사진이 있어. 이 사진을 보던 천문학자들은 은하단 주변에 원호를 닮은 선들이 있는 것을 발견했지. 이건 마치 동심원 같았어. 천문학자들은 처음에 망원경 렌즈에 문제가 생긴 줄 알았어. 그런데 알고 보니 이것이 바로 중력렌즈 현상이었던 거야. 에이벨 383 은하단 뒤 저 멀리 은하가 하나 있었어. 상식적으로 생각한다면 이 은하는 보이지 않아. 왜냐하면 은하와 우리 사이에 에이벨 383이 딱 버티고 있기 때문이지. 그런데 에이벨 383 은하단은 질량이 엄청나게 큰 천체라 아주 강력한 중력을 행사하고 있어. 그래서 그 뒤쪽에서 출발해 은하단 주변을 지나가는 빛은 은하단을 휘감으면서 살짝 휘어지게 되는 거야. 우리 입장에서 보면 은하단에 가려 보이지 않을 빛이 휘어서 우리에게 온 것이지. 그래서 에이벨 383 은하단 사진에 동심원을 닮은 푸른빛의 원들이 생겼어.

천문학자들은 멀쩡하게 생긴 은하가 이렇게 원으로 보이려면 은하단의 질량이 얼마나 되어야 그런 일이 가능한지 계산할 수 있어. 우리도 계산해 볼까? 아니라고? 알았어. 과학자들이 계산을 해 보았더니 외부은하는 역시 우리 눈에 보이는 것보다 훨씬 큰 질량을 가지고 있다는 것이 밝혀졌어.

외부은하단에 속한 은하들의 빠른 운동 속도, 외부은하단의

•── 앞뒤로 나란히 놓인 두 은하. 뒤에 가린 은하의 상이 둥근 고리 모양으로 보인다. 왜? 앞에 있는 은하가 렌즈 역할을 해서 뒤에서 오는 빛을 휘어가게 만들기 때문이다. 이것이 바로 중력렌즈의 증거!

빈틈을 메우고 있는 초고온가스의 존재가 뉴턴의 고전물리 법칙으로 찾아낸 암흑물질의 증거라면, 중력렌즈 효과는 아인슈타인의 현대물리 법칙으로 암흑물질의 존재를 증명한 거야.

지구에서든 우주에서든 변하지 않는 진리는 하나야.

"보이는 것이 전부는 아니다!"

암흑물질의 정체

암흑물질이 무엇인지 정확히 아는 사람은 아직 없어. 하지만 천문학자들은 다음 두 가지 중 하나일 것이라고 추측하고 있지.

우선 첫 번째는 양성자나 중성자처럼 우리가 이미 알고 있는 입자들로 이루어진 평범한 물질일 것이라는 가정이야. 이런 입자들은 너무나 어두워서 지구인들이 가지고 있는 기기들로는 도저히 알아볼 수 없다는 거지. 은하는 대부분 납작한 원반 모양이지만 이 원반을 공처럼 둘러싼 헤일로라는 구조가 있어. 이 헤일로를 이루고 있는 물질이 무엇인지는 잘 보이지 않아. 그러나 있기는 분명히 있어. 헤일로에는 너무나 어두운 붉은 별들, 행성이나 별이 되지 못한 갈색왜성 등이 포함되어 있

•—— 암흑물질의 후보인 갈색왜성. 이들은 너무 어두워 잘 보이지 않는다.

는데, 이들은 너무 어두워서 보이지 않아. 그러니 훌륭한 암흑물질의 후보가 될 수 있는 것이지.

그런데 말이야, 이런 작고 어두운 별들만으로는 암흑물질을 전부 설명할 수 없어. 천문학자들은 현재 우주에서 발견된 중수소의 양을 바탕으로 빅뱅 모형에 따라 계산을 했더니 현재 우리가 알고 있는 물질의 질량은 빅뱅 이후 있어야 할 물질의 4% 정도밖에 안 된다는 거야. 아무리 많은 갈색왜성과 붉은 별들을 고려해도 있어야 할 물질을 다 채울 수 없어. 그렇다면 나머지는 어디에 숨은 것일까? 아니, 숨은 것은 아니야. 그 자리에 그냥 있는데 우리가 못 찾는 것뿐이지. 그래서 천문학자들은 다음과 같은 생각을 할 수밖에 없었어.

암흑물질은 바로 우리가 모르는, 전혀 모르는, 짐작조차 할 수 없는 특이한 물질이라는 것이지. 이 이상한 물질은 빛과 전혀 상호작용하지 않기 때문에 보이지 않으며, 그렇기 때문에 우리는 전혀 알 수 없다는 거야. 이것이 암흑물질의 두 번째 후보야.

가만히 생각해 보면 우리가 알고 있는 모든 물질은 어떤 방식으로든 빛과 반응해. 단순히 빛을 반사해서 우리 눈에 보일 수도 있고, 전자가 빛을 흡수하거나 또는 내뱉는 과정을 보는 걸 수도 있는 거지. 그런데 빛과 반응하지 않는 물질이라니, 그거 귀신 아닌가?

그런데 말이야, 빛과 반응하지 않는 귀신 같은 물질이 정말 있어.

중성미자야 말로 귀신 같은 물질이야. 중성미자는 질량이 아주 작고 전하가 없어. 양전하나 음전하를 띠지 않으니 전기적으로 중성이란 말이지. 원자핵은 양전하를 띠고 있고 그 주변에 음전하를 띤 전자와 합체해 원자 전체로 보면 중성이야. 그런데 전자가 파동을 지닌 빛과 결합해 에너지를 얻으면 잠시 원자핵으로부터 떨어져 나왔다가, 빛을 다시 자유롭게 풀어 주면

●── 게자리 초신성 잔해. 초신성이 폭발할 때 다량의 중성미자가 방출된다. 중성미자는 질량이 아주 작고 전하가 없어서 빛과 상호작용하지 않는다. 그래서 우리는 그것을 볼 수 없다.

서 동시에 원자핵에게 돌아오지. 우리는 그 빛을 보는 거야. 음전하를 띤 전자는 이런 방식으로 자신의 존재를 드러내. 그런데 중성미자는 이런 일을 하지 않아. 그래서 우리는 중성미자를 볼 수 없어.

전하를 띠지 않는 입자로 중성자를 들 수 있는데, 중성자는 원자핵에 서로 들러붙어 있지만 중성미자는 결코 끼리끼리 들러붙지 않아. 아주 독립심이 강한 입자들이지. 중성미자는 오직 약력을 이용해서 물질들과 상호작용하는 '약하게 상호작용하는 입자'로, 우리는 중성미자를 볼 수도 잡을 수도 없는 상태라 암흑물질의 강력한 후보로 꼽고 있지. 그러나 너무 가벼워 빛의 속도에 가깝게 움직이고 전자기파도 내지 않는 이 후보들을 잡아내기란 여간 어려운 것이 아니야.

그래서 과학자들은 중성미자와 비슷하지만 질량만 조금 더 나가는 입자가 있지 않을까 기대하고 있어. 물론 여기서 무겁다는 것은 중성미자보다 조금 더 무겁다는 뜻이야. 질량이 좀 더 나간다면 속도가 느려질 테니 마구 흩어지지 않고 어느 정도 모여 있을 수 있고, 그러면 거기에서 자체 중력이 생길 테니 그 양이 많다면 엄청난 중력을 행사하는 숨은 물질이 된다는 추론이지.

성격 급한 과학자들은 이런 물질을 찾기도 전에 이름까지 붙였어. '약하게 작용하는 무거운 소립자(weakly interacting massive particle)', 줄여서 윔프(WIMP)라고 부르는 이 암흑물질은 초기 우주 때부터 우주에 있었고 은하를 형성하는 데 큰 영향을 준 것은 틀림없지만 우리는 아직까지 이 존재를 알아볼 수 없다는 거야. 그래서 과학자들은 우주에 아주 크고 예민한 기기를 띄워 아무와도 교류하고 싶어 하지 않는 윔프 입자를 찾으려고 애를 쓰고 있단다.

또 지상에서는 대형 강입자 충돌기라는 아주 크고 비싼 기계를 만들어 놓고 강제로 강입자를 충돌시켜 윔프 같은 물질이 나오지 않나 관찰하고 있어. 아직은 그런 입자를 찾지 못했지만 언젠가는 윔프 입자가 모습을 드러낼 것이라 기대하고 있지.

은하 탄생의 비밀

우주는 왜 이런 모습일까? 우리은하를 기준으로 조금 멀리 가면 은하들은 골고루 퍼져 있는 것이 아니라 끼리끼리 모여 있는 것처럼 보여. 물론 여기서 조금이란 25억 광년 정도를 이르는 것이니 좀 멀리 내다보는 것이 좋겠지.

20억 광년에서 25억 광년 떨어진 곳에 있는 은하들은 여기저기 그냥 흩어져 있어. 은하들이 모여 있는 모습에선 어떤 규칙성이나 질서를 찾아볼 수 없지. 그런데 이 모습이 25억 광년 떨어진 외부은하들의 진짜 모습인지는 확실히 알 수 없어. 이곳은 너무나 멀리 떨어져 있어서 어두운 은하들은 우리 망원경에 잡히지 않기 때문에 제대로 된 분포를 알 수 없는 것이지. 우리가 볼 수 없어서 그렇지 어두운 은하들과 밝은 은하들이 특정한 모양을 이루면서 모여 있는지도 몰라.

우리에게 조금 더 가까이 와서 10억 광년 떨어진 곳 근처로 오게 되면 아주 놀라운 장면을 볼 수 있어. 은하들이 모여 있는 모습이 마치 길 따라 줄지어 가고 있는 차나 사람처럼 끈 모양인 거야. 재미난 상점이나 맛있는 식당이 모여 있는 길에는 사람이 많이 모여들잖아. 그것처럼 은하들이 줄지어 있어. 때로는 광장에 모인 것처럼 보이는 곳도 있지. 그런데 10억 광년 근처에서 보이는 놀라운 형상은 마치 은하들이 만리장성처럼 장벽을 이룬 듯해. 그 폭이 이쪽에서 저쪽까지 10억 광년에 이르니 엄청나게 긴 셈이지. 사람들은 그것에 슬로언 장벽이라는 이름도 붙였어.

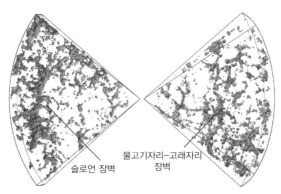

물고기자리-고래자리
장벽

슬로언 장벽

•—— 슬로언 장벽. 2013년 헤라클레스자리-북쪽왕관자리 장벽이 발견되기 전까지 우주의 가장 큰 구조로 알려져 있었다. 이 외에도 초거대퀘이사군, 물고기자리-고래자리 장벽 등 큰 구조물을 찾아볼 수 있는데, 이 장벽을 따라 은하들이 모여 있다.

우주에서 가장 큰 장벽의 이름에 슬로언이라는 이름이 붙은 이유는 이 사람이 돈을 대서 슬로언 망원경을 만들었기 때문이야. 물론 이 망원경이 하늘의 4분의 1을 샅샅이 훑어 슬로언 장벽을 찾아냈지. 슬로언 장벽 안쪽으로 들어와 6억 광년 근처에는 또 다른 장벽이 있어. 여기에도 저작거리에 사람들이 모여 있듯이 은하들이 모여 있지. 은하들은 우주에 골고루 퍼져 있는 것이 아니라 뭔가 다른 규칙에 따라 모여 있는 듯이 보여.

천문학자들은 이와 같은 우주의 구조를 이렇게 해석하고 있어. 우주에는 암흑물질이 우리 눈에는 보이지 않는 거대한 구조를 이루고 있고, 그 거대한 구조 속에서 은하들이 있을 만한 곳에 턱턱 놓여 있다고 말이야.

그럼 은하들이 놓일 만한 곳이란 어떤 곳일까?

그 원인을 찾기 위해 과학자들은 거대 구조 형성 모형을 만들었어. 은하 하나가 점이 되어 만들어 낸 우주의 거대한 구조가 어떻게 생겨났는지 연구하려고 만든 모형이야. 슈퍼컴퓨터를 이용해서 빅뱅 이후 초기 우주에서부터 지금까지 우주의 변화를 계산해 보았더니 이 모형은 신기할 정도로 오늘날의 은하 분포와 잘 맞아떨어졌다지 뭐야.

빅뱅 이후 1초도 안 되어 미세한 온도 요동이 생기는데, 우주가 팽창함에 따라 밀도가 높은 곳을 중심으로 은하와 은하단이 생겨 끈과 같은 구조를 만들어 가는 것이 너무나 잘 드러났던 거야. 오늘날 은하들이 많이 모여 있는 곳은 우주 초기에도 물질의 밀도가 높았던 곳이야. 당연한 일이지.

무엇보다 중요한 사항은 우리가 아는 물질보다 암흑물질의 밀도가 더 중요한 역할을 했다는 점이야. 그야 당연하지, 양이 훨씬 많으니까. 결국 우리가 지금 확인하는 수백만 개에 달하는 은하의 분포는 초기 우주의 암흑물질의 밀도 분포를 재현한 것과 같아. 그러니 우주는 암흑물질이 이루어 놓은 건축물 위에 은하가 얹혀 있는 것과 비슷해. 다만 암흑물질을 볼 수 없으니 투명한 건물에 은하들이 들어앉은 것처럼 보이는 거지.

무엇보다 놀라운 사실은 오늘날 우주의 구조가 빅뱅 이후 1초 안에 결정되었다는 점이야. 그때 그려 놓은 작은 그림이 팽창해서 오늘날의 큰 그림이 되었다는 것이지. 아무리 발버둥쳐도 그때 이루어 놓은 틀을 깰 수 없다니 약간 힘이 빠지는 듯하지만 사실이니 어쩌겠어. 그냥 받아들여야지.

가만히 생각해 보면 우리가 사는 세계에도 이런 속성이 있어. 생김새, 키, 능력은 이미 부모가 반씩 물려준 유전자에 설계된 대로 표현되는 것이고, 내가 살아가는 환경에 의해 어떤 길을 살아갈지 거의 결정이 되는 것 같잖아? 하지만 말이지, 우리에겐 매 순간 무언가를 선택할 기회가 있어. 그것이 미래를 다르게 만들기 때문에 우리는 정해진 삶을 산다고 볼 수 없는 거야.

그렇다면 우주의 미래는 어떨까?

그냥 단순하게 생각하자

우주에는 거대한 구조가 있어. 은하들이 마음대로 마구 흩어져 있는 것이 아니라 어떤 규칙에 따라 놓여 있다는 말이지. 규칙이란 힘이라고 볼 수 있는데, 첫 번째 힘은 빅뱅 이후부터 계속 팽창하는 힘이고 두 번째는 물질이 많이 모여 있는 곳에서 작용하는 중력이야.

팽창하는 힘은 중력과 관계없이 은하들이 멀리 떨어지도록 해. 반면 고밀도 지역에서 작용하는 중력 덕분에 은하들이 모이기도 해. 그럼 두 힘이 서로 상쇄되어 0이 아니냐고? 그게 말이지, 그렇게 간단하지가 않아.

첫 번째 힘인 팽창하는 힘은 우주 전체에 작용하는 힘이고, 중력은 물질이 많이 모여 있는 지극히 좁은 지역에서 작용하는 힘인 데다 거리에 따라 다른 세기로 작용해. 그러니 더하고 빼서 0이 된다고 간단하게 말할 수 없는 것이지. 이 세상 일이 다 그렇듯 이것도 아주 복잡해. 그래서 천문학자들은 이 두 종류의 힘을 고려해서 우주의 미래를 예측하지.

만약 우주 전체가 팽창하는 힘이 여러 곳에서 작용하는 중력의 힘을 합한 것보다 크다면, 우주는 영원히 팽창하면서 은하와 은하가 멀어지고 별 사이가 멀어지고 행성들이 흩어지고 물질이 조각나고 원자까지 분해되어 이 우주에는 아무것도 남지 않게 될 거야.

또 다른 시나리오도 있어. 우주가 팽창하는 힘과 우주 내의 중력이 거의 같다면 우주의 팽창 속도는 느려지고 언젠가는 팽창을 멈춘 뒤 그 상태 그대로 계속 이어질 거야. 모든 인간이 원하는 우주의 미래는 이런 것이지. 영원히 그대로 계속되는 우주 말이야. 물론 인간은 그렇게 오래 살지도 못하지만.

마지막 이야기는 비극으로 들릴 수도 있어. 우주가 팽창하는 힘보다 중력이 더 셀 경우 우주는 팽창을 멈추고 다시 수축하게 될 거야. 고무줄이 늘어났다 다시 줄어드는 것처럼. 우주가 수축할수록 크기가 작아질 것이고 그럴수록 중력은 더욱 세질 거야. 그래서 결국 우주는 모든 것이 엉켜 붙어 한 점이 되어 버리고 말겠지. 처음 빅뱅이 일어나던 그 순간처럼.

첫 번째나 세 번째나, 우주에 있는 생명체인 우리로서는 그

•—— 우주 초기의 1세대 은하에서부터 오늘날 우리은하와 같은 거대은하들까지 볼 수 있는 허블 익스트림 딥 필드. 우리 우주는 더 부풀거나, 이대로이거나, 다시 줄거나 셋 중 하나일 것이다.

다지 반가운 결말은 아니야. 우주가 사라지면 우리도 사라지는 거니까. 그래서 두 번째 시나리오가 맞기를 모두 고대하고 있지. 그리고 그런 결말을 확인하려고 천문학자들은 눈에 불을 켜고 우주를 관측했어. 이 팽창속도가 줄어들고 있다는 증거를 찾으려고 무척이나 애를 썼어.

그런데 그 기대는 보기 좋게 무너지고 말았어. 우주의 팽창속도는 더욱 빨라지고 있다지 뭐야, 1번 시나리오처럼. 갈수록 팽창속도가 빨라지는 우주를 '가속하는 우주'라고 부르는데 우리가 바로 가속팽창하고 있는 우주라는 거야. 정말 우리 우주가 가속하는 우주라면 우주의 미래는 아무것도 남지 않아. 무에서 시작해 무로 돌아가는 것이지.

결론이 무섭지만 뭔가 엄청 철학적인 것처럼 들리지?

넷 중 하나를 찍어

천문학자들은 좀 더 정확하게 우주의 미래를 예측하기 위해 하와이 마우나케아산 위에 지름이 10미터에 이르는 커다란 망원경을 이용해서 열심히 외부은하의 시선속도를 측정했어. 시선속도란 앞으로 또는 뒤로 가는 속도라는 뜻이야. 보는 사람이 기준이지. 이미 짐작하고 있겠지만 멀리 있는 은하일수록 우리로부터 멀어져 가는 속도가 빨랐어. 다시 말해 멀수록 더 빨리 달아난다는 뜻이지.

이렇게 얻은 자료를 분석하려면 적당한 모형이 있어야 해. 우선 천문학자들은 우주의 미래를 결정할 두 종류의 힘을 정했어. 중력과 척력이 바로 그것이지. 척력이란 앞에서 말한 팽창하는 힘과 같은 개념인데, 중력을 끌어당기는 힘인 인력으로 보았기 때문에 팽창하는 힘을 그 반대 방향인 척력으로 본 것이지.

첫 번째 미래는 '다시 수축하는 우주'야. 척력에 비해 중력이 아주 크다면 당연히 빅뱅의 여파가 사라지고 우주는 다시 수축하겠지. 은하와 별과 가스는 엄청난 충돌 탓에 아주 난리가 날 거야. 그리고 계속 줄어들어 한 점에 모이게 되겠지. 이 점이 다시 '빅뱅' 하게 될까?

두 번째 미래는 적절한 선에서 팽창을 멈추는 '임계 우주'야. 척력이 그리 크지 않고 중력 또한 우주를 다시 수축시킬 정도로 크지 않다면 우주는 팽창을 멈추고 그 상태 그대로 영원히 이어지는 것이지. 이것이 우리가 바라는 우주야.

세 번째 우주는 '관성 우주'야. 현재 우주에 척력이 없고 중력 또한 그리 크지 않다면 지금 우주가 팽창하고 있는 속도 그대로 영원히 팽창하는 우주야.

네 번째는 '가속하는 우주'야. 중력보다 척력이 강하다면 우주가 팽창하는 속도는 시간이 흐를수록 빨라지게 되겠지. 그리고 우주의 크기는 더욱더 커지면서 우주의 모든 물질은 찢어지고 말 거야.

과학자들은 이 네 가지 모형을 표현할 수 있는 방정식을 만들어 그래프를 그렸어. 이 그래프를 상상하는 것은 그리 어렵지 않은데, 지금부터 이렇게 해 봐. 공을 위로 던졌다가 떨어지는 것을 상상해. 그리고 가로는 시간, 세로는 공의 높이로 놓고 그

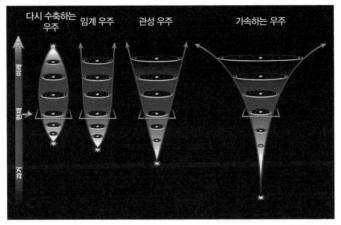

다시 수축하는 우주 | 임계 우주 | 관성 우주 | 가속하는 우주

●── 우주 미래에 대한 네 가지 모형.

래프를 그리는 거야.

가장 쉽게 상상할 수 있는 경우를 말해 볼까? 위로 던진 공은 중력을 이기고 위로 올라갈 수 있는 힘을 얻어 위로 올라가지만 갈수록 속력이 떨어질 거야. 지구 중심 방향으로 작용하는 중력 때문인데, 결국 공은 지구의 중력을 이기지 못하고 다시 떨어지겠지. 이것이 바로 '다시 수축하는 우주'야. 이 그래프의 모양은 종을 엎어 놓은 모습이지.

같은 방식으로 '임계 우주'를 설명해 볼게. 이번에는 공 대신 로켓을 상상하는 거야. 로켓은 지구의 중력을 이기고 계속 하늘로 날아가. 적당한 속도로 발사되었다면 로켓의 속도는 위로 올라갈수록 점점 줄기는 하겠지만 땅으로 다시 곤두박질하는 대신 땅과 수평을 이루면서 날아가게 될 거야. 이 모습을 그래프로 그리면 그래프는 오른쪽 끝이 닫히지 않고 열려 있는 상태가 되겠지. 로켓은 땅에 떨어지지도 않고 더 높이 날아가지도 않은 상태로 계속 나는 거지. 이런 경우 지구를 계속 도는 인공위성이 될 수도 있어.

만약 로켓이 지구의 중력을 완벽하게 벗어날 정도의 속도로 발사되었다면 지구의 중력을 벗어나는 그 순간의 속도 그대로 변하지 않고 우주를 항해할 거야. 지구의 중력권과 대기권을 벗어나면 로켓의 움직임을 방해할 것이 거의 없거든. 한번 방향과 속력이 정해지면 그대로 운동하는 관성의 공간에 들어선 거지. 그 덕에 로켓은 같은 속도로 변함없이 우주를 항해해. 이것이 바로 '관성 우주'야.

자, 이제 아주 이상한 네 번째 곡선이야. 시간이 갈수록 끝이 휘어서 올라가는 모습의 곡선 말이야. 갈수록 속도가 빨라진다는 말이지. 이것은 팽창에 가속이 붙는다는 것과도 같아. 우리가 돌을 던지거나 로켓을 쏘는 힘은 무한대가 아니고 한계가 있어. 그리고 그 힘은 시간이 지나면 중력이나 마찰력으로 줄어들 수밖에 없지. 그런데 시간이 갈수록 속도가 빨라진다니, 이건 정말 이상한 일이야. 어디선가 계속 에너지가 공급되어야 속도가 빨라지니까. 가속하는 우주 모형은 이래서 신기한 거

야. 우리가 알 수 없는 형태의 에너지가 우주에 계속 공급되고 있다는 전제가 있어야 가능한 모형이거든.

그런데 말이야, 세상에는 이상한 일이 참 많아. 천문학자들이 멀리 있는 은하 속에서 초신성을 찾아 열심히 관측을 해서, 이 은하들이 거리에 따라 얼마나 빨리 멀어져 가는지를 열심히 알아냈어. 그리고 그 값을 모형으로 만든 방정식 그래프 네 개와 비교해 보았지. 그랬더니 놀랍게도 점들이 '가속하고 있는 우주' 그래프와 맞아떨어졌다지 뭐야. 우리가 바라던 조용하고 변하지 않는 안정한 우주는 어디 가고 우주는 너무나 변화무쌍한 곳이었던 거야.

더 답답한 점은 그 에너지의 원천이 무엇인지 아무도 모른다는 것이지. 그래서 과학자들이 이 에너지에 뭐라고 이름을 붙였게? 바로 '암흑에너지'야. 암흑은 '전혀 모른다'와 같은 뜻이었던 거지.

믿기지 않겠지만 우리는 우주의 구성성분 가운데 4% 정도만을 알고 있어. 아무리 열심히 과학책을 읽고 과학 공부를 해도 우주의 구성성분을 다 알 수는 없다는 뜻이지. 저 똑똑한 과학자들도 모르는데 우리가 어떻게 알겠어. 그러나 분명한 것 한 가지는, 몰라도 잘 살고 있다는 점이라고나 할까! 그리고 가속하는 우주의 종말은 너무나 먼 미래의 일이니 신경 쓸 것 없다고나 할까!

DARK ENERGY
DARK ENERGY
DARK ENERGY
DARK ENERGY
DARK ENERGY
DARK ENERGY
DARK ENERGY
DARK ENERGY
DARK ENERGY
DARK ENERGY
DARK ENERGY
DARK ENERGY
DARK ENERGY
DARK ENERGY
DARK ENERG
ARK ENERG

•⎯ Dark Energy. 우주를 채우고 있는 무언가의 70%는 암흑에너지.
우리는 우주에 대해 아는 것이 거의 없다.

시간의 끝에 서서

가속하는 우주 모형에 관측값이 잘 들어 맞자 과학자들은 우주의 운명에 대해 진지하게 생각해 보았어. 아, 우리에게 천문학자들이 있어서 얼마나 다행인지 몰라. 그들이 아니라면 수백억 년 후에 벌어질 일을 어떤 인간이 신경이나 쓰겠어?

우주는 138억 년 전에 생겨나서 오늘날과 같은 모습을 갖추었어. 이제 시간이 더 지나면 은하들 사이는 멀어지고 은하 안에서 이루어졌던 물질의 순환이 더 이상 일어나지 않아. 물질의 순환이란 가스가 별이 되고 별이 죽은 뒤 다시 가스로 돌아가고, 그 가스에서 다음 세대의 별이 태어나는 일을 말하는 거야. 물질이 순환하지 않으니 은하 안에는 백색왜성 같은 죽은 별들이 점점 많아질 거야.

10^{15}년쯤 지나면 은하 안에서 백색왜성끼리 충돌하는 일이 생겨. 물론 이렇게 먼 미래가 우리에게 거의 의미가 없다는 것은 사실이야. 지구인 중 누가 이때까지 살아남을까? 그래도 확실한 건 지구인들이 살았던 우주가 그 먼 미래까지 존재한다는 사실이지.

별끼리 충돌하는 일은 극히 드물고 잘 알려져 있지 않은데, 그건 그런 일이 일어날 정도로 우주의 나이가 많지 않기 때문이야. 태양이 죽어서 남긴 백색왜성들은 10^{15}년에 한 번 충돌할 확률이 있으니 그만한 시간이 흐르기 전에는 충돌할지 안 할지 아무도 알 수 없는 것이지. 그러나 시간이 충분하다면 백색왜성이 충돌하는 일은 반드시 일어날 수밖에 없어.

10^{17}년이 흐르면 은하 안에 있는 백색왜성들은 100번씩 충돌할 거고, 은하 안에 있는 별들은 구슬치기 하는 것처럼 이 별과 부딪히고 저 별과 부딪히는 일을 반복하지. 그러다 보면 은하에서 튀어 나가는 별도 생겨. 이런 일이 계속 일어나면, 결국 은하는 깨지고 말아.

집을 잃은 별들은 우주를 떠돌아다니다 거대한 블랙홀을 만나. 그리고 잡아먹히지. 우주에는 엄청나게 크고 무거운 블랙홀이 드문드문 자리 잡고 길 잃은 별들의 새로운 집이 될 거야. 그러면 이 우주는 블랙홀로 가득 찰까?

•—— 사람들에게 가장 인기 있는 천체 블랙홀. 빛도 삼키는 특징 탓에 보기 힘들었지만 집요한 인간들은 2019년 4월 블랙홀을 보고야 말았다. 엄밀히 말하면 블랙홀로 빨려 들어가는 물질이 내놓은 전파를 기록한 것이지만 말이다. 무진장 애를 쓰고 얻은 블랙홀의 사진이 글레이즈 도넛을 닮아서 조금 웃기긴 하지만 문제 될 것은 없다.

뭐라고? 블랙홀로 가득 찬 우주가 멋지다고? 너 취향이 참

독특하구나.

지구와 같은 돌덩어리의 운명은 어찌 될까? 지구는 원자로

이루어져 있고 원자는 양성자로 구성된 핵을 가지고 있어. 생물이 죽으면 분해되어서 원자로 돌아간다는 것을 잘 알고 있지? 그래서 우리 몸을 이루는 원자 가운데 몇 개는 과거에 공룡의 몸이었던 원자들이라고 농담을 하곤 하잖아. 그리고 물질을 쪼개고 또 쪼개면 물성을 잃어버리지 않는 가장 기본적인 입자인 원자가 된다고도 말이야.

그런데 말이야, 우리에게 아주 긴 시간이 주어지면 반드시 그렇다고 말할 수 없어. 왜냐하면 원자핵을 이루는 양성자에게도 반감기가 있거든. 반감기! 일정한 시간이 지나면 우주에 있는 양성자 가운데 절반이 저절로 분해되어 더 작은 입자로 부서진다는 거야.

10^{33}년이 지나면 우주에 있는 양성자 가운데 절반이 빛과 더 작은 입자로 쪼개지고, 10^{40}년이 지나면 우주에 있는 모든 물질이 같은 운명을 맞이해. 우주의 물질 중 그 어떤 것도 그 시간 이후에는 반감기라는 시간의 개념을 가진 채 우주에 남아 있지 않아. 거대한 블랙홀을 제외하면 말이야.

블랙홀 또한 영원하지 않아. 블랙홀 표면은 아주 천천히 증발해. 물질이 빛으로 변해 날아가는 거지. 이건 아주 천천히 이루어지기 때문에 금방 알아볼 수 없지만, 아무리 큰 블랙홀이라도 아주아주 긴 시간만 있다면 다 증발해 버릴 수 있어. 시간이 있다면 불가능한 일이 없는 셈이지. 결국 10^{100}년 후에는 우주에 있는 모든 블랙홀이 증발해 사라지고 말아.

광활한 우주에는 블랙홀이 증발하면서 내놓는 빛과 양성자가 붕괴하면서 내놓는 빛, 그리고 반감기를 가지지 않는 아원자 입자만 남아. 이 빛과 아원자 입자들은 시간을 가늠할 수 있는 장치를 가지고 있지 않아. 만약 누군가 그 우주에 떨어진다면 이 우주가 언제 생겨났는지, 지금 무슨 일이 일어나고 있는지, 앞으로 어떻게 될지 알 수 없을 거야. 전혀, 절대 알 수가 없어! 시간이 아무런 의미가 없는 세상이 되어 버리는 거야.

이거야말로 시간의 끝에 서 있는 셈이지.

아무튼 빅뱅!

빅뱅이 왜 일어났는지 우리는 몰라. 아마 영원히 모를지도 모르지. 그러나 빅뱅이 일어났다는 것은 확실해. 우리가 빅뱅에 대해 이야기하고 있다는 것이 그 증거니까 말이야. 만약 빅뱅이 없었다면 138억 년의 긴 시간 끝에 우리가 나올 수 없었을 거야.

우리는 빅뱅의 순간부터 우주가 어떤 길을 걸어왔는지 잘 모르지만 과학자들은 어렴풋이 알고 있는 눈치야. 그들은 우주의 역사를 밝히려고 좀 더 예민하고 비싼 기기들을 만들어 우주를 관측하고 있지. 도대체 우주가 어떻게 생겨났는지 알고 싶은 사람이 몇 명이나 될까? 하지만 말이야, 하지만 이런 연구는 정말 중요해. 이 우주에 우리가 어떻게 존재하게 되었는지를 밝혀 주는 일이니 말이야. 과학자들은 우리 대신 그런 일을 해 주고 있는 거야.

빅뱅은 우주 초기의 모습을 가장 잘 설명해 주는 이론이야. 사실 이 이론은 좀 엉뚱하게 들릴 수도 있는데, 그래도 재미있으니 들어 봐.

우주는 아주 작은 점이 빅뱅이라 불리는 폭발로 생겨났어. 어때? 어이없지? 황당하지? 그런데 이게 가장 인기 있는 초기 우주 모형이야. 그러니까 좀 더 들어 봐.

빅뱅 이후 수 초간 우주는 매우 뜨겁고 매우 압력이 높은, 지금 우리로서는 상상도 할 수 없는 그런 환경이었어. 빅뱅이 일어난 직후 우주에는 오늘날 우리가 친근하게 여기는 중력, 강력, 전자기력, 약력이 서로 얽혀 있어 구분을 할 수 없었지.

우주가 팽창하면서 크기는 점점 커지고 반면 온도와 압력은 점점 내려가면서 네 가지 힘은 자유를 찾아 하나씩 차례대로 떨어져 나왔어. 중력이 가장 먼저 독립했고 강력이 그다음, 마지막으로 전자기력과 약력이 이별했지. 이 모든 일이 100억 분의 1초 안에 끝났다니 도저히 믿을 수 없지만 믿는 것이 좋을 것 같아. 이 사실을 증명하기 위해 인생의 가장 꽃다운 나이를 연구실과 컴퓨터 앞에서 보낸 과학자들이 있으니 말이야.

과학자들은 네 가지 힘을 합해 초힘이라고 부르고 초힘을 한방에 설명할 수 있는 이론을 만들고 싶어 해. 그래야 앞서 말한 우주의 초기 모형이 더욱 완벽해지기 때문이지. 그래서 초대칭이론, 초끈이론, 초중력이론 등 다양한 이론을 만들었는데, 아직 시원스러운 답이 없다고 해. 아, 이건 다행일까 불행일까!

다시 빅뱅 이야기로 돌아가 볼까. 빅뱅 후 수 초 동안 우주는 마법의 세계였어. 놀랍게도 그때는 허공에서 물질이 생기고 사라지는 일이 아무렇지도 않게 일어났지. 아인슈타인의 식이 말해 주듯 에너지와 물질의 질량이 상호 교환하는 일이 정말로 벌어졌던 거야. 이거야말로 과학으로 설명할 수 있는 마법의 공간이 아니고 뭐겠니.

자, 그럼 예로 전자가 생겨났다 사라지는 마술에 대해 알아볼까. 방금 광자 두 개가 충돌을 했다고 쳐. 광자란 빛을 이르는 말이야. 빛나는 입자라는 뜻이지. 그런데 마침 충돌한 에너지의 총 양이 전자 두 개를 만들 양이 되면 그 순간 전자가 두 개 생겨나는 거야. 그런데 전자 두 개를 가만히 보면 같은 전자가 아니야. 하나는 우리가 잘 알고 있는 전자이고 또 하나는 반전자인데, 반전자는 우리가 본 적이 없기 때문에 상상하기 어려워. 그러나 본 적이 없다고 이 세상에 없는 것은 아니야. 분명히 있어. 보아뱀을 본 적은 없지만 그게 있다는 건 믿잖아? 과학지식을 생산하는 사람들이 있다고 하니 그건 있는 거야. 그것이 없다는 것을 증명할 수 없으니 말이야.

다시 정리를 하면, 빛이 충돌하면 그 에너지와 맞먹는 입자와 반입자가 생겨. 다시 말해 물질과 반물질이 생겨나는 거지.

시간이 더 흐르고 우주가 더 팽창하고 온도와 압력이 더 낮아지자 극적인 순간이 왔어. 우주에 있던 물질과 반물질이 만나 빛이 되긴 했는데, 이젠 우주의 온도가 낮아서 빛들이 충돌해 물질과 반물질을 더 이상 만들지 못하는 순간이 온 거야. 우주가 식으면서 활동성이 떨어진 거지. 우리도 추우면 웅크리고 아무 일도 안 하잖아?

다행스럽게도 바로 그 극적인 순간에 물질이 반물질보다 조금 많았어. 짝이 없는 물질이 있었던 셈이지. 어떻게 그런 일이 일어났냐고? 몰라. 아무도 몰라. 반물질을 만나지 못한 물질은 빛으로 변하지 않고 그대로 우주에 남았어. 그것들이 바로 양성자, 중성자, 전자였고 우주의 온도가 더 내려가자 이번에는 끼리끼리 모여 원자핵을 만들었어.

만약 물질과 반물질의 수가 정확히 딱 맞아떨어졌다면 오늘날 우주에는 아무것도 남은 것이 없을 거야. 별도 없고 행성도 없으니 당연히 우리도 없지. 그러니 짝이 없는 것이 나쁜 것만은 아니야.

빛이 물질로 바뀌는 마법과 같은 일은 더 이상 벌어지지 않았지만 우주는 여전히 뜨거워 빛은 곧바로 나갈 수 없었어. 빛은 원래 곧게 나가는 것밖에 모르는데 주변에 물질이 많다 보니 부딪히느라 앞으로 나갈 수 없었던 거지. 이건 안개 속 빛들과 같

은 상황이야. 안개 속에 들어가면 아무것도 안 보이잖아. 그것처럼 당시 우주는 혼탁했고 앞을 볼 수 없었어.

빅뱅 이후 38만 년이 되자 원자들 사이는 제법 멀어졌어. 그래서 빛이 원자핵과 부딪히지 않고 앞으로 나갈 수 있었지. 그때 우주의 온도는 3000K였고 빛은 그 온도에 해당하는 파장을 가지고 자유로운 빛이 되었어. 빛이 누구의 방해도 받지 않고 곧바로 나갈 수 있게 된 것이지.

사실 빛과 부딪힌 전자, 양성자, 중성자도 애로사항이 있었어. 양성자와 전자처럼 짝을 이루고 싶어 하는 입자들이 결합할 만하면 빛이 와서 쪼개 놓기 일쑤였거든. 중성자와 양성자도 마찬가지로 빛 때문에 결합할 수 없었지. 이게 다 우글우글 모여 있으니 생기는 일이야. 인간도 밀도가 너무 높으면 원하는 걸 다 가지지 못해서 싸우잖아? 빛과 입자들은 싸운 건 아니지만 밀도가 너무 높으니 그런 일이 벌어질 수밖에 없었던 거지. 이런 문제의 해결 방법은 더 넓은 공간이 생기는 거야.

우주도 그랬어. 공간이 넓어지자 광자가 더 이상 원자핵이나 전자와 부딪히지 않았고 원자핵과 전자는 안전하게 합체한 채로 있을 수 있었지. 바로 원자가 생겨난 거야. 그리고 그 순간 우주는 맑아졌어.

그 당시 자유를 찾은 빛은 오늘날도 계속 직진하고 있어. 우주 사방에서 찾을 수 있는 이 빛은 우주 어디에서나 찾을 수 있기 때문에 우주배경복사라 불리지.

아무튼 별!

물질이 조금 더 많았던 덕에 우주에는 수소와 헬륨이 그득했어. 물질들은 우주에 균일하게 퍼져 있는 것이 아니라 좀 더 모여 있는 곳과 조금 덜 모여 있는 곳이 있었어. 이런 상황을 두고 밀도차가 있다고 하지. 세상은 이렇게 밀도차가 있는 것이 더 자연스러워. 모든 물질이 등간격으로 있는 세상을 상상해 봐. 그건 너무 부자연스럽지 않아?

물질이 넓은 지역에 퍼져 있는 곳에서 가장 큰 위력을 발휘하는 힘은 중력이야. 물질이 모여 있는 곳이라면 어디에서나 중력이 작용해. 중력이란 신기하게도 덩어리 중에 질량중심이 어디인지 귀신같이 알아채고 그 점을 향해 물질들이 떨어지도록 만들어. 정말 신기하지 뭐야.

그래서 과학자들은 중력을 전달하는 매개체가 있을 것이라고 말하기도 하지. 눈에 보이지도 않고 아직 아무도 보지 못했고 아무도 증명 못했지만 그런 존재가 있다는 거지. 매개체란 전달하는 존재라는 뜻인데, 과학자들이 찾기로 마음먹었으니 언젠가 찾기는 분명 찾을 거야.

원자나 우주 먼지는 그 지역의 질량중심 방향으로 모여들기 시작해. 일단 질량중심이 정해지면 물질은 모두 그 방향으로 떨어져. 자유낙하 하는 거지. 책이나 교과서에 보면 가스와 우주 먼지가 뭉쳐서 별이 된다는 구절이 나오는데, 이것은 틀린 말은 아니지만 그다지 좋은 표현은 아니야. 가스와 먼지를 뭉친다고 하면 왠지 눈뭉치가 떠오르는데, 사실 우주에서 가스와 먼지가 뭉쳐지는 과정은 눈뭉치를 굴리는 것과는 다르거든. 다시 말하면 가스들은 질량중심을 향해 자유낙하 하면서 강한 충격을 받으며 들러붙는 것이야. 우리가 생각하는 것보다 훨씬 공격적이고 충격이 큰 과정이야. 그 결과 가스 공은 점점 커지는 거지. 스스로 자라나는 가스 공이라고나 할까!

우주는 넓고 물질은 많기 때문에 어마어마한 양의 물질이 질량중심으로 떨어지고 둥그렇게 쌓여 아주 이상적인 공이 생겨. 만약 이 공이 자전을 하지 않는다면 정말 이상적이겠지만 모든 별은 생길 때부터 자전을 하기 때문에 적도 부분이 불룩하게 부풀어 있어. 왜 도느냐고? 몰라! 아무도 몰라. 이 우주에 있는 것은 다 돌아. 스스로 돌고 누군가를 돌고 서로 돌기도 하지.

가스 공이 스스로 돌긴 하지만 이 공은 거의 완벽한 공이야. 그리고 놀랍게도 이 가스 공은 곧 별이 될 거야. 별이 되려면 스스로 빛을 낼 수 있어야 해. 가스 공의 주성분인 수소를 융합시켜서 핵융합을 통해 빛을 만들어 내야 별이라고 할 수 있지. 암, 그렇고말고!

자, 그럼 별이 빛을 내는 과정을 한번 알아볼까. 완벽한 가스 공의 중심부는 바깥에 있는 가스 때문에 짓눌려 온도와 압력이 매우 높아져. 물질이 쌓일수록 온도는 더 높아져. 그러다 중심의 온도가 1000만 K에 이르면 놀라운 일이 벌어져. 수소 원자핵이 여러 개(네 개) 들러붙어 헬륨 원자핵이 되는 핵융합 과정이 일어나는 거야. 수소 핵이 헬륨 핵으로 합성되는 과정은 매우 복잡하지만 분명한 것 한 가지는 수소 핵 네 개의 질량과 헬륨 핵 하나의 질량이 정확하게 같지 않다는 점이야. 도대체 물질은 어디로 사라진 걸까?

답을 말하자면 물질은 사라지지 않았어. 단지 모습을 바꾸었을 뿐이야. 빛과 열로 말이지. 여기서 다시 아인슈타인의 방정식을 소환해야겠어. 그 방정식에 잃어버린 질량을 집어넣으면 그에 대응하는 에너지가 나와. 그만큼의 에너지를 가진 빛이 나오는 거야.

가스 공의 중심부에서 태어난 빛은 초기 우주의 상황이 그러했듯이 곧바로 가지 못하고 주변에 있는 수많은 원자핵들을 만나느라 바빠. 거의 동시에 생겨난 빛들도 마찬가지 상황이야. 이 빛들은 어디로 튀는지도 모르고 가스 공의 중심에서 이리 쿵, 저리 쿵 끊임없이 부딪쳐. 광자들은 "나는 누구, 여기는 어디?"를 외치며 정신없이 오가다 수십만 년에서 백만 년의 시간이 지나서야 공의 바깥 부분에 도달해. 정말 지난한 시간을 거쳐 가스 공 바깥으로 나오는 거지.

그 순간, 바로 별이 태어나는 거야!

드디어 가스 공이 빛나기 시작해.

핵융합을 해 스스로 빛을 내는 천체, 별!

최초의 별이 태어났어.

이와 같은 방식으로 빅뱅 이후 3억 년이 될 무렵 우주에 별이 하나둘 생겨나더니 여기저기 정신없이 별이 태어났어. 깜깜한 우주에 등대가 하나씩 생겨난 거나 마찬가지야. 큰 별 작은 별이 여기저기서 빛을 내자 우주가 좀 밝아졌어.

뭐 당연한 이야기지만 별은 저마다 질량이 달랐어. 이건 아무 것도 아닌 것 같지만 정말 흥미로운 사실이야. 만약에 모든 별이 다 똑같다고 상상해 봐. 무슨 재미가 있겠어? 사람이 모두 똑같은 겉모습이라고 생각해 봐. 이 세상은 정말 아무 재미가 없을 거야.

더 재미난 사실은 별은 태어나는 순간 수명이 정해진다는 점

●—— 새 별이 태어나 가스를 밀어내면서 자신의 존재를 드러냄과 동시에 주변을 밝힌
다. 우주의 모든 어린 존재들은 그 자리에 있는 것만으로도 주변을 밝게 만든다.

이야. 별의 질량, 별을 이루고 있는 물질에 따라 어떻게 살지,
어떻게 죽을지, 언제 죽을지 결정되는 거지.

거대하고 무거운 별들은 강렬한 빛을 내뿜으며 자신이 가지
고 있는 연료들을 매우 빠르고 강하게 써 버려. 굵고 짧게 사는

거야. 그뿐 아니야. 죽는 순간에는 거대한 폭발을 일으키며 다
양한 중금속을 만들어 우주에 뿌려. 이건 작은 별들은 꿈도 꾸
지 못하는 일이지.

큰 별들이 자신의 몸을 우주에 뿌리며 죽고 난 다음에는 아

주 드라마틱한 일이 벌어져. 그 잔해 속에서 다음 세대 별이 태어나는 거야. 2세대별은 훨씬 다양한 원소들 덕분에 1세대 별들과 태어나는 과정부터 조금 달라. 그리고 1세대별과는 다른 삶을 살지. 이건 어찌 보면 당연한 일이야. 인간도 부모와 자식 사이엔 세대 차이가 나고 각자 다른 삶을 살잖아?

무거운 별들이 커다란 폭발을 일으켜 제 몸을 날려 비리는 그 순간, 별의 중심부는 반대로 폭삭 무너져 내려. 그 결과 중심부에 있던 원자의 양성자와 전자가 결합해 중성자로 변하는 놀라운 일이 벌어져. 원자가 완전히 찌부러지는 거지. 그래서 중성자별이 되어 버리고 말지.

태양보다 40배 이상 무겁게 태어난 별들은 핵을 이루는 중성자마저 압축해서 블랙홀이 되고 말아. 근처를 지나가는 것은 무엇이든 삼키는 블랙홀 말이야. 블랙홀은 빛도 삼키기 때문에 보이지 않아서 이런 이름이 붙었어.

우주에는 다양한 질량의 별이 생겼고 별마다 다 다른 이야기를 만들어 냈어. 이건 아주 중요한 거야. 그 다양한 별들이 아니었다면 우리가 생기지 않았을 테니 말이야.

아무튼 생명체!

별이 생기고 별이 천억 개가량 모인 은하가 생겨났어. 사실 이 부분은 아직 확실하지 않은데, 별이 먼저 생기고 그것들이 서서히 모여 은하를 구성한 것인지 아니면 처음부터 더 큰 가스 덩어리가 수천 억 개의 별로 쪼개지면서 자연스럽게 은하의 모습이 완성되었는지 아직 확실히 알 수 없어.

별이 먼저 생기고 은하가 형성되었는지 처음부터 은하의 형태를 띠고 별이 태어났는지 알 수 없으나, 우주에는 작게 태어나 계속 살고 있는 1세대별과 갓 태어난 2세대별이 섞여 있었어. 물론 무겁게 태어난 1세대별은 죽음을 맞이했고 2세대별은 그 잔해에서 태어난 별들이지.

빅뱅 이후 92억 년이 지날 무렵 대부분의 1세대별이 최후를

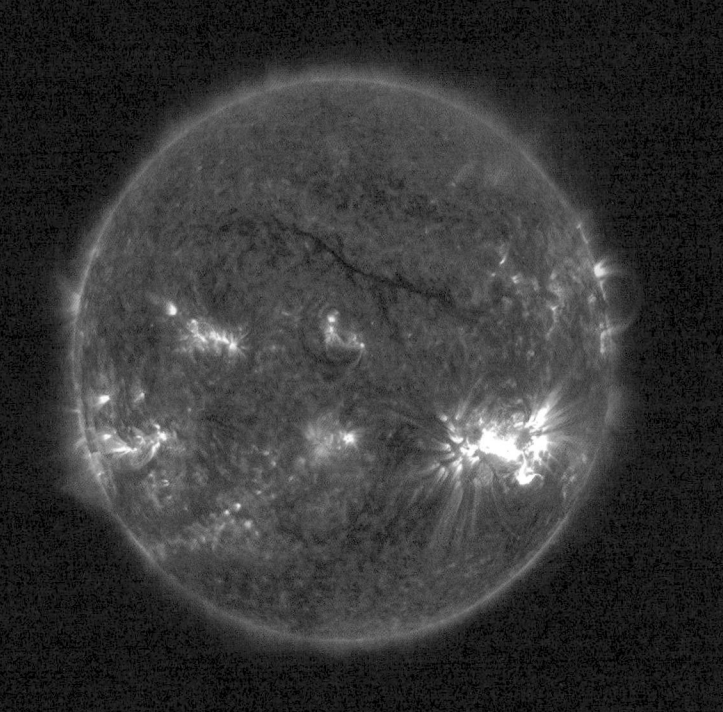

● —— 스스로 빛을 내는 이 황홀한 별은 무엇? 그것은 1세대별과 2세대별이 최후에 남긴 잔해 속에서 태어난 3세대별, 우리의 당당한 태양이다.

맞이했어. 태양만 한 별의 수명이 100억 년인 것을 생각할 때 대부분의 별들이 살 만큼 살고 죽었다고 보는 것이 옳아. 아, 세상에 영원한 것은 없어.

물론 태양보다 가볍게 태어난 별들은 계속 스스로 빛을 내고 있었을 거야. 2세대별이라 할지라도 너무 크게 태어난 것들은 활활 타오르다가 장렬한 최후를 마치고 죽었어. 그리고 그 잔해 속에서 3세대별이 태어났어.

우아, 드디어 중요한 순간이 다가왔어. 태양이 그 3세대별 가운데 하나란 말씀이지!

드디어 태양이 태어난 거야. 우리의 태양!

자, 그럼 태양이 태어날 때 이야기를 좀 더 자세히 해 볼까. 태양은 46억 년 전에 태어났어. 태양은 혼자 태어난 것이 아니야. 그 주변에 있던 가스와 먼지 돌덩어리들이 작게 뭉쳐진 행성들 역시 태양과 거의 동시에 생겨났어. 그러니 태양의 나이와 지구의 나이는 거의 같다고 보는 것이 옳을 거야.

태양이 태어났을 때는 지금처럼 밝지 않았어. 사람도 어른으로 태어나는 것은 아니잖아. 태양도 마찬가지야. 태양이 태어났을 때는 지금 밝기의 70% 정도였어. 지구에서 받는 태양 빛은 지금보다 훨씬 적었던 셈이지.

그래도 지구는 아주 뜨거웠어. 왜냐하면 지구 역시 내부에 있는 방사성원소가 붕괴하면서 열을 내놓았기 때문이야. 이 방사성원소가 내놓는 열은 지금은 오히려 줄어들었어. 방사성동위원소의 양이 점차 줄어들었으니 말이야.

시간이 흐르면서 지구의 거죽은 식었어. 하지만 얇은 거죽 아래에는 아직도 식지 않은 벌겋게 녹은 돌이 지각을 뚫고 나갈 기회를 노리고 있었지. 마그마는 지각의 얇은 곳을 잘도 알아내서 땅을 찢고 솟아올랐어. 그것이 바로 화산이야.

마그마 속에는 다양한 가스가 녹아 있었고 그 가스들은 땅 위로 나오는 순간 마그마로부터 빠져나왔어. 그 가스 중에는 수증기도 포함되어 있었는데, 이 수증기가 바로 바다의 원천이 되었지. 수증기는 구름이 되었고 그 구름으로부터 수천 년 동안 쉬지 않고 비가 내렸어. 그 비가 낮은 곳에 모여 바다가 된 거야.

지구의 거의 모든 것을 덮은 물은 아주 매력적인 환경이었어. 태양에서 날아오는 위험한 자외선이나 엑스선은 바닷물을 뚫고 들어갈 수 없었어. 바닷물은 위험한 빛을 막아 주는 자연 방패가 된 셈이지. 물론 바다에서 우연히 최초의 생명체인 세포가 생기지 않았더라면 자연 방패고 뭐고 아무런 의미가 없었을 거야. 그러나 최초의 생명체는 바다에서 태어났기에 그 후로도 주욱 살아갈 수 있었어. 바다가 엑스선과 자외선을 막아 주지 않았더라면 모두 깨져서 사라지고 말았을 테니 말이야.

원시세포는 막을 만들어 자신과 바다를 분리시켰고, 신진대사를 위해 스스로 에너지를 얻었고 다음 세대를 만드는 일, 곧 번식을 하는 진정한 생명체로 거듭났어. 만약 바닷물이 자외선과 엑스선을 막아 주지 않았다면 이 빛이 예리한 칼이 되어 세포의 유전자를 파괴했을 것이고 지구상에 생명체는 자손을 만들지 못했을 거야.

 최초의 생명체는 주변에 풍부한 물과 위험하지 않은 햇빛과 이산화탄소를 재료로 당을 만드는 광합성이라는 기술을 발명했어. 그리고 부산물인 산소를 버렸지. 시아노박테리아는 햇빛이 드는 얕은 바다에 둥둥 떠서 20억 년 동안 꾸준히 산소를 버렸고 그 산소는 바다에 녹아 있던 철을 산화시켜 바다 밑에 수장시킨 뒤 바다 밖으로 퍼져 나갔어. 오늘날 공기의 20%를 차지하는 산소는 모두 박테리아들이 만들어 버린 쓰레기야. 세상에서 가장 값진 쓰레기라 할 수 있지.

 산소가 오존을 만들어 대기에도 방패가 생겼어. 위험한 빛은 이제 지구 대기로 들어올 수 없었어. 그 결과 바다에서만 살던 생물이 육지로 올라올 수 있었지. 식물이 가장 먼저 올라왔고 곤충이 그 뒤를 이었어. 어떤 용감한 어류는 바다와 강의 경계 구역에 살면서 소금기가 없는 물속 생활에 적응했어. 물론 이들은 바다에 사는 무서운 적을 피해 경계지역에 살 수밖에 없었을 거야. 그러나 그 위기가 새로운 기회를 제공했어. 그들의 후손은 민물에서도 살 수 있었거든.

 그 가운데 물을 벗어나 육지에서 공기를 마시며 살 수 있는 동물이 나타난 거야. 우리는 바로 그 동물의 후손이지.

아무튼 미래!

현재 우주의 나이는 138억 년, 태양과 지구의 나이는 46억 년. 앞으로 우주와 태양과 지구에겐 무슨 일이 벌어질까?

태양 정도의 별은 우주에 무수히 많아. 덕분에 태양이 죽어 갈 때 어떤 모습일지 짐작하는 것은 어렵지 않아. 주변에 예시가 아주 많거든. 다 알고 있겠지만 태양은 수소를 융합해 헬륨을 만드는 과정에서 빛을 생산해. 수소의 양은 무한한 것이 아니기에 이 활동은 언젠가는 끝날 수밖에 없어. 그러나 꿩 대신 닭이라고 수소가 거의 떨어져 갈 무렵이 되면 중심부를 콱 찌부러뜨려 헬륨을 융합해 탄소를 만들고 그 과정 중에 생긴 빛으로 태양은 계속 빛나. 마지막 안간힘을 쓰는 거지. 그러나 태양이

할 수 있는 일은 거기까지야.

만약 태양이 더 크게 태어났다면 탄소를 태워 산소를 만들고, 철까지 만드는 일도 더 할 수 있을 거야. 그러나 태양은 그럴 수 없어. 약 50억 년 후에 태양에 빛을 낼 재료가 고갈될 무렵 태양은 겉 부분을 조용히 날려 버려. 이 부분을 붙들고 있을 힘이 없기 때문이야. 태양의 입장이 어떻든 이 장면을 멀리 떨어져서 보면 마치 풍선이 부푸는 것과 같아. 나아가 아름답기까지 해.

태양의 바깥 부분은 조용히 날아가 수성을 삼키고 금성을 삼킨 뒤 지구를 삼킬 거야. 그때의 온도는 대략 3000K로 빅뱅 후 38만 년일 때 우주가 투명해지던 바로 그때의 온도와 같아. 무려 3000K에 이르는 가스가 지구를 훑고 지나가면 지구는 대기의 일부를 잃어버리고 바닷물은 끓어 증발하고 지구상에 있는 거의 모든 생물은 흔적도 없이 사라져. 지구 최후의 날이 오는 거지.

아, 태양의 가스가 지나가면 다시 생명이 나타날 거라고? 무슨 소리! 태양의 거죽이 지구를 훑고 지나가면 지구는 태양의 몸속에 들어가는 거야. 희망이 없다고. 태양의 몸은 한없이 늘어나 모든 행성을 집어삼켜. 원래 한 덩어리에서 태어났으니 다시 한 덩어리로 돌아가야 한다고 주장하는 것처럼 말이야.

지구에선 아비규환이겠으나 멀리서 보면 이루 말할 수 없이 아름다워. 허블 우주망원경은 이처럼 태양만 한 별이 죽어 가는 사진을 수도 없이 찍어서 그중 잘 나온 것 수십 개를 모아 포스터를 만들기도 했어. 이 사진들이 어찌나 예쁜지 멀리서 보면 마치 보석 전시 포스터 같다니까.

질량이 거의 같은 별이긴 하나 태어날 때 조건이 다 다르고 거느린 행성의 크기와 개수도 다르기 때문에 별의 거죽이 퍼지는 모습은 하나도 같은 것이 없어. 모두 달라! 사람 얼굴이 다 다르고 죽을 때의 모습이 다 다르듯이.

이렇게 얼추 60억 년 후면 태양의 중심부는 백색왜성이 되어 조용히 식어 가고 행성들 역시 다시 돌덩어리가 되어 최후를 맞이해. 그럼 그 뒤에는 무슨 일이 벌어질까?

천문학자들의 관측에 의하면 우주는 빅뱅 이후 가속팽창을 하고 있다고 해. 다시 말해 갈수록 더 빨리 팽창한다는 뜻이지. 이와 같은 속도로 팽창하면 가까이 있는 이웃 은하들이 점점 멀어져 외부은하를 보기 힘들 거야.

10^{15}~10^{17}년 후에는 우리은하가 찢어지고 별들은 뿔뿔이 흩어져. 밤하늘을 수놓던 은하수는 당연히 사라지고 별들의 사이가 멀어지면서 하늘에서 별을 볼 수 없게 될 거야. 은하라는 고향을 잃고 우주를 떠돌아다니던 별들은 군데군데 자리 잡은 거대한 블랙홀에 잡아먹혀. 좀 이상하게 들리겠지만 새 집을 찾았다고나 할까.

그렇게 잡아먹히지 않은 별과 행성들도 영원히 물질로 남아 있지는 못해. 원자핵을 이루는 양성자에게도 반감기라는 것이 있어. 10^{33}년이 지나면 우주에 있는 양성자 가운데 절반이 빛과

●── What is Time?

더 작은 입자로 쪼개지는 거지. 그리고 시간이 더 흐르면 우주에는 어떤 원자도 남지 않게 돼.

블랙홀이 남지 않냐고? 안타깝게도 블랙홀도 영원하지 않아. 아주 느리긴 하지만 블랙홀은 증발해. 블랙홀을 이루는 물질이 빛으로 변해 서서히 사라지는 거지. 10^{100}년이 지나면 우주에 있는 가장 큰 블랙홀마저 다 증발해서 빛으로 변해. 이건 정말이지 너무너무 긴 시간이지만 아무도 시간이 가는 걸 방해하지 않기 때문에 블랙홀이 다 사라지는 일은 얼마든지 일어날 수 있지. 가속팽창하는 우주에선 말이야.

이때가 되면 우주에 남아 있는 것은 빛과 아원자 입자뿐이야. 이것들은 시간을 기록하는 방법을 몰라. 만약 우리가 이때 우주에 있게 된다면 우주가 언제 시작되었는지, 지금 이 순간 시간이 어찌 흐르는지, 앞으로 우주는 어찌 될지 절대 알 수 없을 거야.

우주는 시간을 잃어버려.

너는 이 우주가 마음에 드니?

참고문헌

《모든 사람을 위한 빅뱅 우주론 강의》 이석영 지음, 사이언스북스, 2017

《빅뱅의 메아리》 이강환 지음, 마음산책, 2017

《빅뱅 – 어제가 없는 오늘》 존 파렐 지음, 진선미 옮김, 양문, 2009

《암흑우주》 다니구치 요시아키 지음, 정현수 옮김, 바다출판사, 2011

《우주로의 여행 1, 2》 앤드루 프라크노이 외 지음, 윤홍식 외 옮김, 청범출판사, 1998/2000

《우주의 구조》 브라이언 그린 지음, 박병철 옮김, 승산, 2005

《우주의 기원 빅뱅》 사이먼 싱 지음, 곽영직 옮김, 영림카디널, 2015

《우주의 본질: 지구에서 빅뱅까지》(제7판) 제프리 베넷 외 지음, 김용기 외 옮김, 시그마프레스, 2015

《처음 읽는 우주의 역사》 이지유 지음, 휴머니스트, 2012

《천문학 및 천체물리학》(제4판) 마이클 제일릭 외 지음, 강혜성 외 옮김, 센게이지러닝 코리아, 2015

《천문학: 한눈에 보는 우주》 에릭 체이슨 외 지음, 최승언 외 옮김, 시그마프레스, 2016

2019년 4월 10일 발표된 블랙홀 이미지와 뉴스

https://www.jpl.nasa.gov/news/news.php?feature=7372

과학
좀 아는
십 대
04

초판 1쇄 발행 2019년 7월 10일
초판 4쇄 발행 2024년 3월 8일

지은이 이지유
펴낸이 홍석
이사 홍성우
인문편집부장 박월
편집 박주혜 · 조준태
디자인 방상호
마케팅 이송희 · 김민경
제작 홍보람
관리 최우리 · 정원경 · 조영행 · 김지혜

펴낸곳 도서출판 풀빛
등록 1979년 3월 6일 제2021-000055호
주소 07547 서울특별시 강서구 양천로 583 우림블루나인 A동 21층 2110호
전화 02-363-5995(영업), 02-364-0844(편집)
팩스 070-4275-0445
홈페이지 www.pulbit.co.kr
전자우편 inmun@pulbit.co.kr

ISBN 979-11-6172-741-7 44440
ISBN 979-11-6172-727-1 44080 (세트)

이 도서의 국립중앙도서관 출판예정도서목록(CIP)은 서지정보유통지원시스템
(http://seoji.nl.go.kr)과 국가자료종합목록구축시스템(http://kolis-net.nl.go.kr)에서
이용하실 수 있습니다.(CIP제어번호: CIP2019022107)